KB015597

철학자의 뱃속

LE VENTRE DES PHILOSOPHES:
CRITIQUE DE LA RAISON DIETETIQUE
by Michel ONFRAY

Cet ouvrage, publié dans le cadre du Programme d'aide à la Publication
Sejong, a bénéficié du soutien de l'Institut français de Corée du Sud.
이 책은 주한 프랑스문화원 세종 출판번역 지원프로그램의 도움으로 출간되었
습니다.

미셸 옹프레 지음
이아름 옮김

철학자의 뱃속

불란서책방

▪ 일러두기

- 본문의 괄호는 역자 주일 경우 옮긴이 표기를 하였다.
- 모든 각주는 역자의 것이다.

차례

"인류의 구원이란, 이 문제와 오래 씨름해 온
신학자의 빛바랜 능숙함에 달려 있지 않다.
그것은 바로 무엇을 먹느냐에 달려 있다."

– 니체 『이 사람을 보라』 중에서 –

01

철학의 식생활

아무데서나 방귀를 뀌어대고, 광장 한 가운데에서 천연덕스럽게 자위를 일삼던 디오게네스가 자신의 향연에 철학사의 문제적 인물들을 초대한다. 편집증적 채식주의자이자 서민 취향을 예찬했던 루소, 알코올 중독과 윤리학의 화해를 꿈꾸는 건강염려증 환자 칸트, 이탈리아 피에몬테 지방의 요리로 자기 몸속의 프로이센 흔적을 제거하려한 게르만족 혐오자 니체, 음식 전쟁의 열정적인 전략가를 꿈꾼 몽상가 푸리에, 환각제 메스칼린의 도움으로 바닷가재의 악몽에서 벗어나려는 집요함의 사상가 사르트르, 절대 예측불가의 맛들을 조합하는 실험적 음식철학자 마리네티. 견유학파의 '음식 허무주의'부터 미래파의 요리 혁명에 이르기까지 굽이굽이 다양한 길들이 우리 앞에 놓여있다. 이런 표현이 괜찮다면, 맛의 지혜로서의 '음식윤리학'에 몰두했던 철학자들과 이 여정을 함께 할 것이다.

디오게네스의 향연에 초대된 문제적 인물들의 식탁 위에는 산낙지와 인간의 살, 다양한 유제품들, 설탕에 재워 말린 건자두, 소시지 한 묶음, 화장수를 넣은 커피에 데친 소시지인 일명 '흥분한 돼지' 한 접시, 페이스트리 반죽에 각종 재료를 담아 구운 작은 파테와 볼오방vol-au-vent, 배를 갈라놓은 가재 요리가 올라와 있다. 또 금주자를 위한 물과 애주가를 위한 와인도 구비되어있다. 칸트가 선택한 와인 '메독'과 그가 주문한 대구 요리가 있고, 루소를 위해서는 광천수와 깨끗한 샘물, 그리고 숙성하지 않은 치즈와 신선한 과일이 준비되어 있다.

본론으로 들어가기 전에 잠시, 이 자리에 없지만 어딘가에서 저마다의 식도락에 푹 빠져 있는 사람들도 살펴보자. 과묵한 자유사상가 데카르트는 호전적인 난봉꾼이었으며 향락을 즐기는 불한당이었다. 파리에 머물던 시절, 그는 당시 법원에서 주로 마시던 푸아시산産와인을 술통에서 바로 따라주거나 몽마르트의 언덕에서 짜낸 싸구려 와인을 파는 선술집들을 가리지 않고 드나들었다. 우리는 최초의 데카르트 전기 작가인 아드리앙 바리에가 그려낸 매우 금욕적인 인물로 데카르트를 알고 있을 뿐이다. 하지만 저 유명한『방법서설』 저자에 관한 매우 사실적인 전기가 있다면 그것은 여자와 술, 그리고 결투로 채워졌을 것이다.

과묵하기로 치면 스피노자도 만만치 않다. 그의 삶은 아주 반듯한 건축물이자 한 치의 오차도 없는 기계와도 같은, 아폴론주의를 구현하는 그의 글과 닮았다. 스피노자의 전기를 쓴 코렐루스는 이렇게 전한다. "그는 버터가 들어간 우유 수프에 맥주 한 잔으로 하루를 살았다. 또 어떤 날은 포도와 버터를 곁들인 곡식 몇 알만을 먹기도 했다." 이 네덜란드의 현자는 죽기 몇 시간 전, 하숙집 사람들이 늙은 수탉으로 요리한 수프를 먹었다고 한다. 바뤼흐Baruch Spinoza의 취향은 지극히 소박했다. 하기야 큰 술통을 옆에 끼고 끝없이 먹어대는 가르강튀아의 식탁 같은 곳에서 어떻게 『에티카』의 간결함과 논증의 정확성을 기대할 수 있겠는가.

데카르트와 스피노자의 접시 사이에 헤겔과 그의 보르도 와인이 놓여 있다. 헤겔이 와인상인 라만 형제에게 보낸 편지에 와인에 대한 그의 각별한 애착이 묻어난다.

> 거듭 말씀드리지만 와인 한 통 보내주실 것을 간곡히 부탁드립니다. 아시다시피 이번에는 메독을 주문했고, 대금도 이미 받으셨을 줄 압니다. 바라건대 부디 상태가 좋은 와인이었으면 합니다. 지난 번 와인은 윗부분이 썩어서 부득이 쏟아버려야만 했답니다.

그러고 보면 헤겔 철학의 그 훌륭한 인위적 메커니즘에 와인과 여자, 눈물, 웃음, 음식, 쾌락 같은 본질적인 것들이 빠져있다는 게 못내 아쉽다. 잠시나마 『정신현상학』이 아닌 '음식현상학'을 떠올려보면 어떨까? 헤겔 뒤로 몇 발자국 옮기다 보면 인색한 철학자 빅토르 쿠쟁과 마주친다. 그는 독일식 레스토랑에서 수북이 쌓인 야채 위에 얇고 우스꽝스러운 모양으로 썰린 고기 한 겹을 얹은 생뚱맞은 요리를 접했을 때 비로소 칸트의 『순수이성비판』을 이해했다고 털어놓았다. 이 요란한 음식에서 주가 되는 부분, 즉 고기는 별 것 아닌 것으로 축소되었다.[1] 프랑스 철학계의 하사계급쯤 되는 쿠쟁은 철저한 독신주의자에다 구두쇠였으며 허구한 날 빈대처럼 남에게 들러붙는 짠돌이였다. 그의 기분을 좋게 만드는 건 오로지 초콜릿뿐이었다. 초콜릿을 위해서라면 지옥에라도 뛰어들 만큼 광적인 초콜릿 애호가였던 그가 한 번은 칸트 저서를 번역한 바르니를 점심식사에 초대한 적이 있다. 철학적 대화를 곁들인 푸짐하고도 화려한 식사였다. 그런데 식사가

1 칸트의 『순수이성비판』에서 사물의 '주가 되는' 본 모습, 즉 사물 그 자체는 우리가 더 이상 알 수 없는 영역이다. 우리는 오로지 사물이 우리에게 보이는 모습, 즉 현상만을 알 수 있을 뿐이다.

끝날 즈음 쿠쟁이 갑자기 급한 용무가 생겼다고 둘러대며 자리를 떠버렸다. 졸지에 혼자가 된 이 불쌍한 번역가 앞에 계산서가 남겨졌다. 쿠쟁은 왜 이다지 돈을 아꼈을까? 어쩌면 초콜릿 때문일 수도.

음식에 대해 특별히 부정적인 태도를 보였던 사상가들도 있다. 엄격하고 호전적이었던 프루동이 푸리에의 미식철학을 한낱 저속한 '주둥이 철학'이라 비난한 것은 놀라운 일이 아니다. 음악에는 귀머거리였던 음악 혐오자 프로이트는 습관처럼 매일매일 소스만 살짝 바꿔가며 포토푀[2]만 먹었다. 이처럼 미식을 거부하는 것 역시 개인의 취향인 만큼 그다지 특이한 일은 아니다. 그러나 미식을 원치 않는 것이 그 사람의 스타일, 그의 작품, 인간성과 전혀 무관하다 할 수는 없을 것이다. 음식이 주는 맛의 기쁨을 거부하는 것은 어떤 형태로든 금욕주의와 다를 바 없다. 그것은 쾌락을 포기하는 것이다. 그리고 미식의 거부는 의학적으로 음

2 Pot au Feu; 쇠고기와 뼈를 채소 등과 함께 고아서 만든 육수

식을 조절하거나 육식을 단절하고 채식을 추구하는 등 표면적으로는 합리적인 식습관의 논리를 따르는 것처럼 보이지만 실제로는 식욕부진의 다양한 양상 중 하나일 뿐이다.

또 어떤 이들은 음식에 있어 전혀 타협할 줄 몰라 죄를 범한다. 음식을 섹슈얼리티에 종속시켜 버린 사드 후작이 대표적이다. 그는 자기의 이론에 따라 닭 가슴살을 최고로 생각했다. 닭가슴살을 먹고 난 후의 대변은 굶주린 배설물주의자들에게는 더없이 풍요로운 음식이 될 테니까 말이다.

클로드 레비 스트로스의 방문을 받은 원시 종족들은 그에게 귀한 선물을 베풀며 환대했는데, 그 선물이란 씹을 때마다 바삭거리고 꿈틀대는 살아있는 하얀 애벌레 한 사발이었다. 훗날 그는 애벌레에서 아주 섬세한 맛과 세련된 풍미를 느낄 수 있었다고 술회했다.

몇몇 그노시스주의자[3]들 중에는 간혹 희귀한 음식에 탐닉하는 부류들도 있었다. 그들이 속한 수도원의

3 Gnosis; 영지주의, 고대부터 기독교 시대 이후까지 내려온 신비주의 종교운동의 제 분파.

식사에는 정액흡입이나 태아흡입이라는 엽기적인 메뉴가 등장하기도 했다. 5세기 무렵 이탈리아 파비 성당의 주교 에피파네는 그노시스주의자들은 원치 않는 임신이 생길 경우 손가락으로 태아를 거둔다고 말했다. 다시 말해 "절구통에 그것을 넣고 빻은 다음 꿀과 배를 섞고 향신료와 향유를 더한 뒤" 다함께 둘러앉아 손가락으로 집어먹는 식이다. 이 기괴한 장면을 상상하다 보면 정치인류학자 피에르 클라스트르가 들려준 과야키 인디언들의 모습이 떠오른다. 클라스트르가 남긴 기록에 의하면 과야키 인디언들은 시신을 태우는 화로에서 흘러나온 인체의 지방을 솔에 촉촉이 적셔 빨아먹었다.

딱히 미각이 무딘 것도 아니고 이렇다 할 기벽이 있는 것도 아닌 또 다른 유형에 대해서도 몇 마디하고 넘어가자. 먼저 소개하자면 1709년 12월 25일 성탄일에 생-말로Saint-Malo에서 태어난 철학자 쥘리앵 라 메트리라는 인물이다. 그는 각종 성병에 대한 지침서를 남긴 의사이기도 하지만, 무엇보다 『향유의 기술』이라는 아주 인상적인 책을 쓴 저자다. 이 책에서 그는 놀랍도록 극단적인 행복주의를 설파한다. 여기 등장하는 인물들은 모두 감각적으로 섬세하게, 아주 탐닉적으로 엄선된 식탁 앞에서 그 순수한 쾌락에 빠져 든다. 어느 광적인 대식가는 식사가 시작되고 첫 번째 요리가 나오면서부터 라 퐁텐 우화의 백조처럼 숨 쉴 새 없이 허겁지겁 배를 채운다. 그리고는 곧바로 언제 그랬냐는 듯 이내 식욕을 잃고 만다. 또 그들 중 어떤 호색한은 모든 음식을 조금씩, 아주 조금씩 신중하고 까다롭게 맛보며 즐긴다. 남들이 샴페인을 마구 들이킬 때도 그는 천천히 음미하며 마신다. 마치 모든 쾌감을 낱낱이 느끼려는 듯.

한결같은 미식가였던 라 메트리는 어느 날 티르코넬Tyrconnel 경의 식탁에 초대를 받는다. 그날 식탁에는 파테가 올라 왔다. 라 메트리는 자기가 쓴 『인간기계론』에서 설익은 고기를 조심하라고 그토록 사람들에게 경고했음에도 불구하고, 본인 스스로는 그 귀족의 식탁에 놓인 파테가 상했다는 걸 알아차리지 못하고 끝내 죽음을 맞고 만다.

미식 철학의 관점에서 기억할 만한 또 다른 크리

스마스 저녁이 있다. 1837년 12월 25일, 최초의 미식 칼럼니스트들 중 한 명인 음식비평의 개척자 그리모 Alexandre Balthazar Laurent Grimod de La Reynière가 숨을 거두었다. 그의 운명은 1754년에 푸아그라 파테를 먹다가 질식사한 푸주한이었던 그의 할아버지의 운명과 닮아 있다. 게다가 그는 너무도 분명한 신체적 특징 때문에 눈에 띌 운명이기도 했다. 반은 손, 반은 집게 모양의 손을 지니고 태어난 그는 자신의 손과 거기에 달린 복잡한 구조의 금속 보철을 가리기 위해 늘 하얀 장갑을 끼고 다녔다. 그리고 이따금 불타는 가마 위에 손을 올려놓고는 구경꾼들에게 똑같이 해보라고 권하기도 했다. 블랙 코미디의 제왕과도 같았던 그는 일주일에 두어 차례 철학적 점심식사를 주관했다. 프리메이슨의 의식을 어설프게 모방한 이 준영양식 식사에 초대된 손님들은 몇 명이 초대되었든 사람 수와 상관없이 반드시 열일곱 잔의 커피를 마셔야만 했다. 연극처럼 진행되는 식사였지만 음식은 환상적이었다.

늘 견유학파의 피가 흐르던 그리모는 어느 날 지인들에게 자신의 부고를 알린다. 누가 자신의 진정한 미식 친구인지 알고 싶었던 것이다. 그를 추억하는 이들은 자리에 참석했지만, 그동안 형식적인 관계를 유지하던 기회주의자들은 비로소 이 희대의 기인으로부터 자유로워졌다며 불참을 선언한다. 장례식 만찬이 한창 무르익어갈 즈음 그리모가 멀쩡한 모습으로 나타나자 참석자들이 모두 깜짝 놀랐다. 그제야 그리모는 자신의 부고가 거짓이었음을 밝히며 남아있는 진정한 미식가들과 더불어 연회를 이어나갔다. 하지만 정말로 무례했던 그의 기행은『여성보다는 미식』이라는 짧은 작품을 썼다는 점이다. 물론 모든 행복주의자들은 그리모와는 달리 여성과 미식이 경쟁관계가 아니라 상호보완적이라는 것을 잘 알 것이다.

우리는 크고 작은 연회와 만찬을 열기 위해 12월 25일을 축제 중의 축제로 신성화한다. 그래도 뭔가 부족하다면 얼마든지 또 다른 기회를 만들어 낸다. 어쩌면 그런 기회들 덕분에 철학사의 문제적 순간들이 탄생한 건 아닐까. 가령 데카르트의 꿈에 나타난 멜론 더미들이나 샤를 푸리에에게 '인력 이론'[4]의 영감을 준 사과, 혹은 콩도르세에게 상실을 의미했던 오믈렛 등등.

식생활이란 다분히 기독교를 거부하는 이교離教주의 또는 무신론, 내재성[5]에 의거한 진지한 생활양식이다. 여기서 모든 초월성은 설 자리를 잃고 오로지 개인의 의지만이 참된 실재를 가리키는 지침으로 작용한다. 초월성을 꿈꾸는 저 너머 어딘가에는 구원만큼이나 위험한 자기 소외의 함정이 도사리고 있다. 이 점에 대해 사람들이 빚을 지고 있는 인물이 바로 루드비히 포이어바흐다. 그가 남긴 말의 함축적 의미에 대한 여러 해석들은 차치하고 먼저 『철학적 선언』에 실린 다음과 같은 선언을 주목해보자.

인간은 곧 그가 먹는 것이다

4 **la théorie de l'Attraction passionnée** 아이작 뉴튼의 중력법칙을 인간 사회에 적용한 푸리에의 이론. 인간 역시 특정한 타인들, 사건들, 사물들에 의해 끌어 당겨진다. 이러한 힘 혹은 열정의 자유로운 결합이 '조화국'에 이르게 할 것이다.

5 서양 철학의 전통을 형성한 플라톤의 철학에 따르면 이 세계는 지성을 통해 파악할 수 있는 '이데아'로 이루어진 초월적 세계와 감각을 통해 파악할 수 있는 내재적 세계로 나뉜다. 감각적 세계, 즉 여기에 내재하는 세계는 생성변화하므로 플라톤 철학의 전통 속에서 참된 실재의 영역에서 배제되었다. 참된 실재는 이데아, 본질, 궁극적으로 신과 같은 영원불변한 실체, 초월적 영역의 것이었다. 기독교를 거부하는 이교주의나 무신론은 이렇게 초월성/내재성으로 이분화된 세계관에서 초월성을 거부하고 오로지 내재적 세계만을 긍정하는 내재성의 이론이라고 할 수 있다.

> 감각기관을 따르라! 감각이 시작하는 곳에서 종교와 철학은 멈춘다.

한 마디 덧붙이자면 바로 거기에서 삶이 시작된다고 할 수 있지 않을까. 그는 계속해서 '신체는 이성의 토대이자 논리적 필연성의 무대'라고 주장하거나 '감각의 세계가 이성 또는 지성의 기초이자 조건'이라 단언했다. 이는 포이어바흐가 무신론의 이론적 시초이자 인간 사회 내의 소외에 대해 연구한 최초의 학자라는 사실과 무관하지 않다. 종교나 종교적인 것, 혹은 종교의 다양한 형태들에 관한 결정적 문장들은 모두 그의 책에서 처음으로 등장한다. 온갖 신성한 것들이 그의 책에서 해부되고 분석되었다. 프랑스 유물론의 전통과 영국의 감각론으로부터 일정부분 영향을 받아 새로운 감각론적 실증성positivité sensualiste을 발전시킨 것 또한 포이어바흐이다. 이렇듯 현대성이 형태를 갖추자 곧이어 니체가 등장해서 그것을 이어받는다. 비로소 니체와 더불어 우리의 세기가 시작된 것이다. 음식은 신 없이 살아가는 기술을 제공하는 유물론적 원리가 될 것이다.

자기 미학의 통로로 이해된 입의 학문은 미래를 준비하고 일상의 파편들로 역사를 만들라는 니체의 명령이 있고나서도 여전히 진정한 빛을 보지 못했다. 노엘 샤틀레[6], 장 폴 아론[7], 장 프랑수와 르벨[8]의 작업이 여기에 근접하다는 것을 고려하더라도 현대 사상이 여전히 본질적인 문제에 대해 침묵하고 있다는 것 또한 염두에 두어야 한다. 물론 예외는 있다. 미셸푸코의 후기 철학이 그러하다. 그는 말년에 질병을 겪으며 인식의 전환을 겪는다. 『성의 역사』의 맺음말에서 그는 사랑, 쾌락, 성, 신체 등 핵심적인 문제들에 대한 주장

6 Noelle Chatelet(1944~); 프랑스 소설가이자 철학자. 인간의 정신과 육체의 관계에 대해 지대한 관심을 가지고 성형외과 의료진들의 도움을 받아 성형외과를 찾는 이들을 만나 수술 동기와 수술 과정, 수술 후의 만족도, 수술 실패로 인한 어려움 등을 현장에서 직접 보고 들으며 기록한' [맞춤육체](박은영 역, 사람과책, 2002)의 저자.

7 Jean-Paul Aron(1925~1988); 프랑스 철학자, 작가, 기자. 50년대 초 미셸 푸코의 가장 가까운 친구였으며, 역시 에이즈로 사망. 질병에 인간의 얼굴을 부여하는 작업을 통해 질병에 대한 사회적 인식을 바꾸려 했다.

8 Jean-François Revel(1924~2006); 프랑스 언론인, 철학자. 1960년대까지 사회주의자였던 그는 미테랑 대통령의 대변인으로 활동했으나 나중에 유럽의 고전적 자유주의와 자유시장경제의 주요한 지지자가 된다. 미국이 잘못된 외교 정책으로 테러 공격을 자초했다고 주장하는 반미주의와 유럽인들을 비판.

들을 아주 훌륭하게 기술하고 있다. 그의 초기 철학에서 차이를 배제하고, 정상성을 산출하는 사회적 메커니즘을 검토 한 뒤, 푸코는 이제껏 숨겨져 있었으나 사실 우리를 가장 자극하는 비밀의 영역으로 들어간다. 그리하여 마침내 진짜 니체적인 관심사, 즉 가장 근원적인 근심인 자기에의 배려와 마주친다.

『쾌락의 활용』에서 식생활은 일상생활의 예술로써 기술되어 있다. 식생활은 인간의 자유에 형태를 부여하는 방법으로서 신체의 논리인 동시에 그 신체에 대한 지배를 증진시키려는 것이다. 무엇을 먹을지 고르는 것이야말로 진정으로 자신이 되는 것이다. 이 선택은 자기 자신을 구성하는 실존의 선택이다. 이와 같이 어떤 식생활은 의학적 관심을 별개로 놓는다. 건강은 다만 영양사의 관심사일 뿐이며 이 주제에 관해서라면 히포크라테스의 문집을 읽거나 갈레노스를 조언을 따라야할 것이다.

식생활에 대한 관심이 진화하는 양상은 모빌이 점차 스스로 돌아가는 모습과 흡사하다. 이제 식생활은 “인간의 품행을 사유할 수 있는 근본적인 범주가 된다.

사람들은 식생활로 자신의 존재를 영위해가는 방식을 특징짓고 자신이 따를 행동 규칙의 체계를 세운다. 즉, 식생활은 우리가 수긍하고 보존해왔던 본성에 따라 수행된 행동을 문제 삼는 방식이다. 식생활은 전적으로 삶을 살아가는 기예가 되는 것이다." 이것은 '나'라는 존재를 만드는 방식, 더 나은 몸을 갈망하는 방식, 미래를 꿈꾸고, 장래에도 음식과 현실을 조화시키려는 방식이다. 순수한 의미의 식생활은 존재하지 않는다. 먹는다는 것은 존재하고자 하는 의지, 변화하고자 하는 의지를 바탕으로 한다. 또한 먹는다는 것은 삶, 사유, 체계, 등 우리가 하는 모든 활동의 원형적 범주를 알려준다.

수많은 학설과 문헌들 속에서도 좀 더 폭넓은 시야와 새로운 방식으로 사상에 접근하기위해 철학의 역사 속으로 들어가 보고자 하는 관심은 여기서 비롯되었다. 미로에서 길을 잃거나 불안에 떨지 않게끔 우리의 길잡이가 되어주는 것은 바로 음식이다.

먹는 기술이 곧 예술이다. 푸코의 말처럼 "식생활의 실천은 자신의 몸을 충분히 배려하는 주체로서 자기 자신을 구성하는 방식이다." 윤리학과 미학이 혼재하는 식생활은 자기 자신을 구성하는, 이른바 주체화의 학문이 될 수 있다. 이는 음식을 다루는 개별적인 학문이 보편적인 주제로 이어지는 통로가 될 수 있음을 보여준다. 음식은 현실을 꿰뚫는 주장이 될 수 있다. 결국 음식이란 우리 자신을 일관된 작품으로 구축하기 위한 특정 수단이다. 샤를 푸리에의 처남이자 법조계의 미식가였던 브리야 사바랭은 『미각의 생리학』에서 다음과 같은 말을 남겼다.

> 네가 먹은 것을 말해다오. 그럼 나는 네가 누구인지 말해줄 것이다.

02

고독한 미식가

디오게네스

디오게네스는 한낱 엽기적인 행각의 소유자일 뿐이며, 견유학파[9]에서도 철학적 고찰 따윈 찾아볼 수 없다.

헤겔이 디오게네스와 견유학파에 대해 이처럼 말한 것은 부당하다. 재치와 기담은 언제나 눈에 보이는 것

9 키니코스학파라고도 한다. 소크라테스의 제자 안티스테네스로부터 비롯한 고대 그리스의 학파. 디오게네스는 안티스테네스의 제자로 인위적인 것을 배제하고 자연적인 삶을 추구한 스승의 가르침을 널리 전파한, 키니코스 학파의 대표적인물이다. 고대 그리스어 **κυνισμός**(키니스코스)는 개를 의미하는 **Κύνος**(키노스)에서 유래한 것으로, '개와 닮은'이라는 뜻이다.

이상의 의미를 지니기 때문이다. 이 견유철학자는 관습을 통해 다져진 순응주의를 거부하고, 아니라고 말할 수 있는 단호한 의지의 소유자다. 니체의 말마따나 진정한 철학자를 '당대의 양심불량자'로 정의한다면 디오게네스는 가히 진정한 철학자를 대표하는 상징적 인물일 것이다.

디오게네스를 논하기 위해서는 헤겔의 강박적인 관념론보다, 철학자는 무엇보다 다이너마이트, '세계 전체를 위험에 빠뜨리는 무시무시한 폭약'이라는 니체의 완고한 주장에 주목해야 한다. 그와 더불어 우리는 즐거운 지식에, 희열과 환희의 학문에 이르게 된다. 니체는 일찍이 이 견유철학자에 대해 '대지의 가장 높은 곳에 도달할 수 있는 자'라 명명했다. 우리는 이러한 니체의 정의에 따라 디오게네스의 발자취가 새겨진 그 세계에 차분히 다가갈 수 있다. 우리는 그 곳에서 상식적으로는 부적절해 보이지만 오류와 환상에서 벗어난, 완전히 새로운 실증적 사유를 만나게 될 것이다.

사실 우리가 사는 이 깊은 우울의 시대는 그 우울로부터 벗어나고자 수많은 환상들을 추종한다. 디오게네스 견유학파의 미학은 이러한 반계몽주의적 현상에 대한 해결책이 될 수 있다. 왜냐하면 견유철학은 현실을 분명하게 이해하고 문제의 핵심을 명확하게 깨닫고자 하는 의지 그 자체이기 때문이다. 견유학파는 문명의 껍데기와 가식들을 벗어던지고, 즉흥적이지만 검소하고 순수한 태도로 삶을 꾸려나가라고 가르친다.

견유학파가 진정 바랐던 것은 사람들을 환상 속에 빠져 살게 하는 요소들, 즉 신성神性에 대한 무조건적 복종, 대중의 맹신과 관습, 그리고 수동성을 무너뜨리는 것이었다. 이것은 실현 가능한 기획으로, 자기 자신을 아름다운 존재로 만들어 가는 자기 미학적 삶을 위해, 그리고 절망에 대처하는 자기교육[10]을 위해 자연에 가까운 삶, 원시적인 야생의 삶으로 돌아가려는 삶의 실험을 필요로 한다. '분노한 소크라테스'라 불리는 디오게네스, 어쩌면 그는 자기만의 삶을 창조하라고 했던

10 저자는 여기서 키르케고르의 '자기' 개념에 대해서 말하고 있다. '우리가 우리의 정신과 신체, 그리고 그것에 영향을 주는 세상과 관계할 뿐 아니라, 우리가 이 모든 것과 어떻게 관계를 맺을지에 대해서도 관계를 맺고 관여할 수 있다는 사실'에서 도출되는 자기 개념.(철학이 필요한 순간, 스벤 브링크만, 강경이 옮김, 2019, 다산초당)

몽테뉴의 초대에 기꺼이 응답하지 않았을까? "우리가 만드는 위대하고 영광스러운 명작, 그것은 바로 자기만의 고유한 삶을 사는 것이다"라는 몽테뉴의 말은 그대로 견유학파가 주장하는 삶의 철학과 맥이 닿는다.

실존의 문제를 미학적인 방식으로 해결하려는 욕구야말로 견유철학을 탄생시킨 근본 동력이다. 견유철학자들은 어떤 존재로 거듭날 것인가라는 화두를 안고 어떻게 아름다운 존재가 될 수 있을 지 그 답을 찾아가고자 했다. 이러한 물음 속에서 끊임없이 자기 존재를 구축해 나가는 것, 이것이 견유철학자들의 일관된 의지였다. 그들은 일상적 삶의 동일한 반복이 불러온 절망 대신 순수한 즐거움과 단순한 쾌락 속에서 삶의 희열을 얻고자 했다. 누군가 '사는 것이 곧 악vivre est un mal'이라고 말하자 디오게네스는 이렇게 대답했다.

아니오, 잘못 사는 것이 악이오mal vivre.

항아리 속의 철학자 디오게네스는 음식을 교육에 활용한다. 사실 자연적 질서가 여타의 어떤 질서보다 절대적으로 우월하다는 것이 견유학파의 이론적 핵심이다. 문명이란 타락의 조력자다. 문명은 순수의 미덕을 걸러내고 금기와 스캔들, 콤플렉스들을 끌어옴으로써 있는 그대로의 대상을 망측하게 훼손하고 실재를 부패시킨다. 따라서 인공적인 것들은 마땅히 버려야 한다. 디오게네스의 꿈은 원초적 야성으로의 회귀였으며, 이러한 의지에 의해 식생활이 결정된다. 벨기에의 사학자 마르셀 데티엔은 이렇게 적고 있다.

> 이론적 차원과 일상생활의 실천을 막론하고 견유철학자들은 도시, 사회 집단 그리고 문명에 대한 근본적 질문을 제기한다. 그들의 주장은 특별하다기 보다는 당시 문명 체제를 비판하던 일반적인 입장이었다. 이러한 입장은 4세기 도시국가의 위기와 결부되어 등장했는데 이 시기 주요한 이슈 가운데 하나가 바로 원시 상태로의 회귀였다. 원시 상태로의 회귀란 부정적으로 보면 도시국가에서의 삶을 경멸하는 것이고, 문명이 생산해 낸 물질적인 이득을 거부하는 것이다. 그러나 긍정적으로 보면 이는 샘물을 마시거나

직접 채집하고 경작한 도토리와 채소로 영양분을 섭취함으로써 최초의 인류가 살았던 단순한 삶으로 되돌아가려는 노력이다.

견유학파의 이러한 반문명적 태도는 도시적 삶을 지탱하는 규율과 전통에 반하는 것이다. 그들은 정치, 사회, 관습 등 삶의 거의 모든 영역에서 일반화된 논리를 깨뜨린다. 이 부정의 미학에서 쟁점이 되는 것은 바로 식생활이다. 예컨대 디오게네스는 음식을 익혀 먹는 식문화의 제도적 관습에 대항해 그 어떤 제약도 없는 '음식 허무주의'를 내세운다. 이것은 무엇보다 불을 거부하는 것이며 나아가 문명의 상징과도 같은 프로메테우스를 부정하는 것이었다. 식습관에 대한 견유학파의 제 1원칙은 한 마디로 '날 것을 먹는 것'이다. 플루타르코스의 표현을 빌자면 견유학파는 문명이 세운 가치 체계를 파괴하는 행위로써 생식을 추구한 셈이다. 마르셀 데티엔의 이야기를 더 들어보자.

날고기를 먹는 것은 결국 프로메테우스의 희생을 부정

하는 셈이며, 쇠꼬챙이와 솥을 사용해야 한다는 생활 규범과 그 규범을 따라야만 부여될 수 있는 인간다움의 조건까지 모두 거부한다는 의미가 아니겠는가? 정치-종교적인 기준에서 벗어나기 위해 야수성을 발휘하여 짐승처럼 행동하는 것이다.

디오게네스는 가장 불경스러운 위반으로 나아간다. 모두가 음식을 익혀 먹을 때 그는 한 모금의 피와 한 점의 날고기를 원했다. 프랑스의 역사학자 베르낭은 피와 날고기에 대한 디오게네스의 관심에서 인류에 대한 통념을 파괴하는 단서를 읽어낸다. "익힌 고기를 거부하는 것, 그것은 무엇보다 고기를 익히는데 필요한 불을 거부하는 것이며, 동시에 불이 상징하는 문명에 맞서는 일이다."

견유학파가 따르는 모델은 동물이다. 디오게네스에 얽힌 여러 일화들 속에서도 우리는 동물로부터 깨달은 바를 따르고자 하는 그의 의지를 확인할 수 있다. 특히 개로부터 뭔가를 배운 것은 분명하고 말, 사자, 쥐, 물고기, 새 또는 방목되는 가축들에게서도 교훈을 얻은 것 같다. 테오프라스토스가 전해준 이야기에 따르면, 디오게네스는 사방으로 기어 다니는 쥐를 보며 문명이 제공하는 가벼운 향락을 뿌리치고 금욕적으로 살아갈 것을 결심했다. 그 한 마리의 쥐가 디오게네스에게는 지혜의 모델이었던 셈이다.

이렇듯 동물로부터 깨달음을 얻고 동물을 모방하면서부터 디오게네스는 더 이상 피가 섞인 고기에만 만족하지 않게 된다. 고대 그리스의 전기 작가 라에르티오스Diogène Laërce는 이런 글을 남겼다.

> 그는 타당한 근거를 가지고 '모든 것은 모든 것 속에 있고 어디에나 있다'고 주장하며 야만인들이 그러하듯 인간이 인간의 살을 먹는다는 사실을 그렇게 추악한 것으로 생각하지는 않았다. 풀 속에 빵이 있고 빵 속에 살이 있다. 이 육체와 저 육체는 숨겨진 경로로 모든 육신에 들어가 함께 사라진다.

이런 식으로 그는 동물과 인간이 닮았다는 것을, 아니 인간과 동물이 서로 다르지 않다는 것을 증명하려

했다. 플라톤의 말이 사실이라면, 늑대처럼 아주 잔인하고 야만스러운 육식애호가인 견유철학자들은 심지어 인간을 먹기까지 했다.

> 그들 중 몇몇이 제물로 바쳐진 인간의 내장을 잘게 잘라 먹는 순간부터 그들은 서서히 늑대로 변해갔다. 그것은 당연한 일이었다.

인간으로 만든 먹이보다 더 나쁜 것이 있을까? 이런 일을 저지르면서도 디오게네스는 자기가 하는 일이 무엇인지를 분명히 알고 있었다. 그는 인간이기를 포기하고 자기 안에 사는 짐승으로서의 행위를 저지른 것이다. 문명은 종교적 제의를 행할 때나 치명적인 기아 상태가 아니고서는 식인을 절대로 용납하지 않는다. 디오게네스는 이 문명 속에 말세의 씨앗을 심어놓은 셈이다. 디오게네스가 아니고서야 그 누가 식인 행위를 인간 내면에 내재된 욕구라 여길 것이며, 누가 그처럼 결연하게 식인 행위를 감행할 수 있겠는가. 물론 주술적이고 종교적인 의미에서 제의적 살인 의식을 치르는 카니발리즘

이 사회의 다양한 양상들 중 하나로 인정받아 감내되고, 권해지고, 옹호되는 경우는 있다. 예컨대 과거 부족전쟁 상황에서는 복수의 만족을 위해 인육을 먹었다. 타르타르 족 역시 예루살렘으로 향하는 십자군 낙오병들을 합법적으로 잡아먹었다. 물론 이러한 행위는 식량 부족으로 인해 인육을 먹을 수밖에 없었던 상황을 법률로 정당화시킨 경우이다. 이와 달리 오로지 사회적 니힐리즘의 차원에서 식인 행위를 감행한 예는 디오게네스가 전무후무할 것이다.

그러나 피를 좋아한 디오게네스의 취향에서 채식이 제외된 것은 아니었다. 전기 작가 라에르티오스는 인육을 주제로 이 철학자에 대한 에세이를 남긴 바 있다. 디오게네스가 인육을 먹음으로써 어떤 비난을 받고 또 어떻게 그것을 극복했는지는 알 수 없다. 다만 한 번 저지른 행위가 무조건 습관으로 굳어지는 것은 아니라는 것을 염두에 두어야 한다. 사실 식인 행위는 그리스의 도시국가 안에서 벌어진 하나의 해프닝일 뿐이었다. 디오게네스에 관한 모든 일화들을 종합해 보면 그는 오히려 인간의 허벅지보다 오히려 올리브와

열매에 열광했던 사람이다.

단순한 삶을 찬양했던 이 견유철학자는 그리스 태양 아래에서의 간소한 삶은 물론 그 평온함에서 오는 약간의 권태마저 순수하게 받아들였다. 실제로 전해오는 여러 일화들 속에서 디오게네스는 무화과와 과일들을 따먹고 뿌리를 캐먹는 인물로 묘사되고 있다. 시원한 샘물을 즐겨 마셨던 그의 입술은 붉고 선정적인 헤모글로빈 대신 맑고 투명한 샘물로 촉촉이 빛났다.

디오게네스는 간단한 방법으로 먹을 것을 구했다. 자연은 우리가 채집만으로도 만족할 수 있을 만큼 많은 것들을 생산한다. 그래서 그는 인간을 즉흥적 삶에서 계획적 삶으로, 떠돌아다니는 삶에서 정착하는 삶으로, 유목형 삶에서 정주형 삶으로 몰아가는 문명의 진보를 거부한다. 인류는 나그네의 방랑과 자유를 금하는 주거양식을 채택했지만, 디오게네스는 인류가 다시 그 이전으로, 즉 문명 이전의 삶으로 돌아가야 한다고 주장한다. 채집 생활, 그것은 곧 문명의 미래에 유죄를 선고하고 안락함을 거부하며 우연에 따라 살아가는 것이다.

나는 내가 가장 손쉽게 얻을 수 있는 것을 먹거리로 삼을 수 있었다.

자연이 허락하는 수준에 맞춰 우리의 욕구를 제한해야 한다. 로마 제국의 철학자 디오 크리소스토무스는 다음과 같이 기록하고 있다.

디오게네스는 갈증에 시달리면서도 그리스의 히오스나 레스보스 산 와인을 구하기 위해 샘터를 그냥 지나치는 사람들을 가리켜 방목지의 짐승들보다 훨씬 더 무식하다고 말했다. 짐승들은 목이 마르면 샘터나 맑은 물이 흐르는 개울가를 절대 지나치지 않는다. 또 배가 고프면 주변에 있는 부드러운 잎사귀들을 그냥 지나치지 않는다. 길가의 풀만으로도 먹거리는 충분하다.

이런 식으로 우리는 얼마든지 자유롭고 건강한 삶을 살아갈 수 있다. 이것이 장수의 비결이다. 지상에서의 행복한 삶은 쓸데없는 것들과 사치를 줄임으로써 가능해진다. 에피쿠로스학파의 지상명령이기도 한 '자연스럽고 필수적 욕망의 충족'은 우리에게 천진난만한 기쁨, 존재하는 것 자체로서의 즐거움을 제공한다. 인간이 불행한 것은 "꿀을 바른 빵을 좋아하고, 좋은 향기가 최고인 양 세련된 감각을 추구하기 때문이다."

조금 먹을 것, 이것이 디오게네스가 전하는 식습관 제 2원칙이다. 물은 견유학파가 추구하는 금욕의 상징이다. 단순함을 추구할수록 인간은 식생활면에서 진정한 진리에 이를 수 있다.

> 사과, 조, 보리, 잠두콩 등등 먹거리는 이미 충분하다. 잠두콩은 콩과 식물들 중에서도 가장 싼 것이다. 숯에 그을려 잘 익은 도토리, 산수유나무의 열매들, 이런 음식들이 짐승들을 먹여 살린다. 가장 커다란 짐승들조차 다 먹여 살리고 있다.

제자 모니모스에게 쓴 편지에서 디오게네스는 스승인 안티스테네스의 가르침을 이렇게 알린다.

잔은 사치스럽지 않게 얇은 점토로 빚어라. 마실 것은 샘물로 족하고 씹을 것은 빵으로 족하다. 양념이 필요하다면 소금과 크레송(물냉이—옮긴이)을 먹어라. 이것이 안티스테네스께서 나에게 알려준 식습관이다. 돈이 들지 않아서가 아니라 오히려 가장 좋은 먹거리이기 때문이며 특히 우리를 행복으로 인도하기 때문에 중요한 것이다.

수년 동안의 금욕과 철학적 삶을 실천한 끝에 그는 마침내 다음과 같은 결론에 이르렀다.

나는 해야 할 것을 보지 않고 기뻐할 것들만 보면서 이 음식들을 먹고 마셨다.

견유학파는 음식을 먹는 방식을 정화하라고 가르친다. 식사에 따르는 관례마저 단순하게, 좀 더 단순하게 하라고 권한다. 진수성찬도 안 되고, 만찬을 위해 특별히 꾸며진 방에서 입의 움직임에 집중하는 것도 안 된다. 디오게네스는 욕망과 쾌락을 위한 행동들은 마땅히 감춰져야 한다는 사회적 편견을 가차 없이 공격했다. 이 견유철학자는 닫힌 공간에 가두어 숨기는 대신 거리낌 없이 드러내고 노출하는 전략을 택했다. 물론 여기서도 사람들을 깨우치겠다는 그의 의지는 심히 확고했다. 그래서 디오게네스는 의도적으로 공공장소에서 망설임 없이 자위를 했고, 눈살 찌푸리는 사람들에게 "배고픔도 자기 배를 비비는 것만으로 해결할 수 있다면 얼마나 좋겠는가!"라고 응수했던 것이다. 그는 단순하고 자연스러운 행위들은 모든 사람이 보는 앞에서도 얼마든지 이루어져야 한다며 공공장소에서 성행위를 하는 것마저 비난하지 않았다. 자위도 되고 성교도 되는데 바깥에서 밥을 먹는 것쯤이야 충분히 가능하지 않겠는가? 그는 정해진 장소에서만 행하던 식사를 거침없이 밖으로 가져가 공공장소에 자리를 잡았다. 예의상 식사하는 모습을 밖으로 드러내지 않던 그 당시 모범 시민들의 분노한 얼굴을 보며 디오게네스는 아무렇지 않게 음식을 씹어 삼켰다.

그 어떤 삶도 그 삶에 비견되는 죽음 없이는 아름다

움에 도달하지 못한다. 디오게네스에게서 죽음은 음식과 전혀 무관하지 않다. 이 철학자의 죽음에 관해서는 여러 가지 이야기들이 전해진다. 누군가는 디오게네스가 자발적으로 숨을 참아서, 즉 호흡을 억제하여 생을 마감했을 것이라고 주장한다. 또 어떤 이는 산낙지와 씨름하다 잔뜩 열이 오른 개에게 물려 죽었다고, 즉 개싸움의 아이러니라고 말하기도 한다. 그런가 하면 짐승을 잡아먹고 체해서, 다시 말해 일반적인 식생활을 거스른 죄로 죽었을 거라고 주장하는 이들도 있다. 그가 스승의 가르침을 실천하여 터득한 삶의 방식 때문에 죽은 게 아니라면, 그 추측이 맞을 지도 모를 일이다. 플루타르코스는 다음과 같은 사실들을 기록한다.

> 디오게네스는 불을 사용하는 요리의 번거로움을 끝내고자 산낙지를 먹었다. 그는 많은 사람들이 지켜보는 가운데 망토를 걸치고 자기 입에 산낙지를 집어넣으며 말했다. '내가 이렇게 목숨 걸고 위험을 무릅쓰는 것은 모두 당신들을 위한 것이오.'

죽기 바로 직전에 그는 자기 시신을 땅에 묻지 말고 산짐승의 먹이로 던져놓거나 아니면 도랑에 뉘여 흙으로 살짝만 덮어놓으라고 부탁했다. 들개와 독수리, 햇빛과 비가 치러주는 장례식이야말로 견유철학자로서 금욕주의적 삶을 완성하는 가장 적절한 방식이라고 생각했던 것이다. 오빠의 시신을 새들의 먹이로 만들지 않기 위해 애썼던 안티고네의 눈물겨운 노력에서 보듯 매장하지 않은 시체에 대한 공포가 얼마나 컸을 지를 떠올려 보면 이 철학자의 유언이 지극히 경우에 어긋난 것임을 충분히 짐작해볼 수 있다.

사실 디오게네스는 자연으로의 최종적 회귀를 꿈꿨을 것이다. 운명의 동반자였던 동물들에게 먹혀서 자연의 요소들과 뒤섞여 결국 자연의 순환에 동참하기를 바랐을지도 모른다. 생전에 날짐승을 먹었던 디오게네스는 이제 완전히 날 것 그대로 동물들의 먹거리가 된다. 동물 중에서도 가장 동물적이었던 그는 죽음에 이른 순간까지도 모든 살을 먹거리로, 모든 먹거리를 살로 여겼다. 이 영원한 변증법은 그의 철학과도 무관하지 않다. 먹고 사는 것, 죽고 먹히는 것, 섭취하고 소화하는 것, 음식이라는 기호로 사물들의 영원 회귀를 증명하는 이 지독한 행위들. 이렇듯 먹는다는 행위는 자연의 순환을 증명한다.

윤리학과 미학을 하나로 묶고, 자기 존재를 온전히 자신의 의지가 관철된 작품으로 만들려 했던 디오게네스는 이렇게 자기를 활용하는 논리를 세웠다. 비록 입은 음식을 먹는 순간만큼은 침묵을 강요당하지만 그럼에도 불구하고 입은 여전히 진리와 의미의 입구다. 이렇게 음식은 상징적 지위를 얻고, 견유학파의 가르침에 따른 허무주의적 실천 속으로 들어간다. 그리스 작가 루키아노스는 디오게네스의 말을 이렇게 전하고 있다.

> 우리의 사고방식은 이미 다른 누군가가 검열한 것이다…나는 나를 기쁘게 하는 것들만 하고 나를 유쾌하게 만드는 사람들과만 만난다.

이제 우리는 이 철학자가 입구가 아닌 출구를 통해 극장에 들어가거나 뒷걸음질로 회랑을 걷는다고 해서 그리 놀라지 않을 것이다.

> 나는 내 삶에서 모든 이들이 하는 걸 반대로 하는 데 몰두했다.

날 것의 살. 피를 부르는 취향. 거침없는 식인 행위. 간소한 삶. 광장에 전시된 식사. 이 모든 것들은 기존의 가치를 거부하는 니힐리즘의 강력한 의지의 증거이다. 이는 금욕적 의지로 지탱되는 부정의 활동이자 동시에 견유학파의 논리에 따르는 긍정의 활동이기도 하다. 이런 시각에서 식생활은 인간 본성의 요구를 드러내면서 우리 안에 잠재하는 논쟁들을 불러일으킨다. 견유학파는 음식을 통해 어떤 세계, 곧 인위적인 세계를 거부하는 동시에 또 다른 욕망, 다른 세계를 원한다. 그 세계는 단순 그 자체의 세계가 될 것이다. 디오게네스, 그리고 그가 먹은 산낙지는 결국 그 어떤 식습관도 그 자체로 중립적이지 않다는 것을 말하고 있다. 음식에 대한 모든 주장에는 세계를 이해하는 철학이 담겨 있기 때문이다.

03

빵과 우유의 나날들

장 자크 루소

금욕적인 식생활을 상징하는 대표적인 인물을 꼽으라면 주저 없이 장 자끄 루소Jean-Jacques Rousseau를 꼽을 수 있다. 느낌과 감각이 무뎌 보이는 제네바 시민이 있다면, 바로 이 남자, 루소다. 그의 육체는 생명을 유지하는 유일한 방법으로써 음식을 받아들일 수밖에 없었지만, 그의 의식은 주저 없이 음식을 꽤나 경시했던 것이 분명하다.

잘 알려져 있듯 루소는 자연 그대로의 인간성을 찬양하면서 자신이 살던 시대의 성격, 즉 근대성에 대해서는 집요할 정도로 비판을 가한 사람이다. 그의 저작들 가운데 가장 반계몽주의적인 저서 『학문과 예술에 관한 논고』에서 그는 상업, 풍습, 사치, 지적 활동, 철학 등 문화와 관련된 것이라면 무엇이든 모조리 비판했다.

통찰력이 왕성하던 시절, 그는 인쇄술을 "인간 정신이 낳은 괴상한 산물들을 영원하게 만드는 기술"이라 비난했고, "일찍이 인쇄술이 유럽에 일으킨 끔찍한 무질서"를 규탄했다. 철학 역시 루소에게는 "인간의 오만함에 취한 헛된 시늉"일 뿐이며 인간 타락의 역사에 한 획을 긋는 학문에 불과했다.

"국민들까지 이따위 어리석은 취향에 물든다면, 그들은 이제껏 다져온 미덕마저 모두 잃게 될 것이다."

이 철학자에게 '진리를 아는 인물'은 오직 농부, 즉 땅을 일구며 사는 사람들뿐이다. 이처럼 루소가 시대의 흐름을 거스르는 반동적 사례를 제시한 데에는 그가 진리에 대한 영감을 과거로부터 받은 탓이 크다. 루소에게는 원초적인 투박함, 그리고 모든 것을 부패시킨 문명 이전의 것이 곧 좋은 것이다. 미덕은 단순함에 있다. 가난, 무지, 수작업이 좋은 것이다. "모두에게 좋았던 아름다운 시절은 아무 것도 모를 때였다."

문화와 정반대인 것이 농경이다. 이 생각이 루소에게 길을 열어준다. 주장은 단호하고 구호도 간결하다. 루소를 통해 문명에 억눌렸던 생각들이 형태를 갖춘다. 예술의 진보는 도시의 타락에 비례한다. 쓸데없는 것을 제거하고 오직 필요한 것만을 실현해야 한다. 그가 꿈꾸는 세계는 아테네와는 사뭇 다른 스파르타에 가깝다. 화룡점정 격으로 루소는 모든 시대에 걸쳐 가장 부조리한 격언까지 남겼다. "인간은 태생적으로 선하다." 당연히 루소에게 자연은 가장 진실하고 풍요로운 원리다.

이쯤 되면 미식 습관에 대한 그의 비난도 그다지 놀라울 게 못 된다. 루소의 저작은 그가 음식에 대해 그 어떤 즐거운 지식도 얻지 못했고, 하물며 미식을 즐긴다는 것 자체가 완전히 불가능하다는 사실을 말하고 있다. 원시적 삶에 대한 루소의 예찬은 가히 스파르타식 광기에 가깝다. 고기와 각종 야채를 넣어 장시간 끓여 재료를 부드럽게 만든 스튜의 일종인 라구ragoût는 이 철학자에게 퇴폐를 상징하는 전형적인 요리가 된다. 이 사상가의 취향이 스파르타 전사의 취향이란 데에는 의심의 여지가 없어 보인다. 무릇 전사의 최고 덕목이란 야생성일 테니까.

자연은 학문으로부터 우리를 지키고자 했다.

후대에 점차 크게 번져 간 루소의 이 간결한 주장은 어떤 의미로는 다음과 같이 해석될 수 있다. 미각을 분석하는 과학이나 미식을 추구하는 지식과 정 반대의 것이 본래의 단순함이다. 니체였다면 사회주의적 혹은 기독교적이라 말하고도 남았을 이 스파르타식 음식 이론은 루소에 의해 형태를 갖추어나간다. 사회주의적 미식철학자인 그의 음식에 관한 견해는 당시 서민들의 전형적인 주장이라 여겨질 만큼 대중주의적이었다. 가령 시골 농부의 가난은 도시 부르주아의 사치 때문이다. "부르주아의 식사에 고기 국물이 필요하기 때문에 다수의 가난한 자들이 먹을 스프가 없는 것이다. 부르주아의 식탁에 오를 술이 필요하기에 농부에게 마실 것이 물밖에 없는 것이다. 부르주아의 가발에

뿌릴 밀가루 때문에 수많은 빈자들에게 빵이 없는 이유다." 사치가 곧 빈곤을 낳는다. 볼테르를 제외한다면 이것이 바로 계몽주의 시대의 고정관념이다.

『학문과 예술에 관한 논고』의 핵심 주장은 '몸이 필요로 하는 것 이상의 모든 것은 악의 근원'이라는 것이다. 물론 이 격언은 음식뿐만 아니라 나머지 모든 것에 대해서도 유효하다. 니체라면 바로 여기에서 이제 막 태동하기 시작한 사회주의가 물려받은 유태·기독교적 금욕 원칙 중 하나를 발견할 수도 있을 것이다. 먹는 것은 생존의 명령일 뿐 즐기기 위한 것이 아니라는 이 통념은 다음과 같은 주장으로 설명될 것이다. "살기 위해 먹어야 한다. 먹기 위해 사는 것이 아니라." 미식을 즐긴 죄, 벌을 받을 지어다.

문명은 우리 안에 들어있던 자연적인 것을 질식시킨다. 그리하여 지금 우리는 단순한 삶의 방식이 무엇인지, 자연적인 삶이란 무엇인지, 그리고 건강한 음식이란 어떤 것인지 답을 선뜻 내놓을 수 없다. 만약 우리가 자연 상태에 있다고 가정한다면 우리의 식생활은 그에 합당하게 올바른 방식으로 이루어졌을 것이다. 인간은 직관을 신뢰하기 때문이다. 이 자연 상태라는 신화적인 시기에 "대지의 산물은 인간에게 필요한 모든 구원을 제공했다. 본능은 이를 활용하도록 인간을 이끌었다." 인간의 최우선 관심사는 바로 자기 자신을 보존하는 것이다.

그럼에도 불구하고 진화는 이루어진다. 루소는 인체의 구조, 행동의 변화, 팔다리의 활용, 음식을 구하는 새로운 방법 등 실제로 일어난 변화들 가운데 몇 가지 것들을 따로 떼 내어 다룬다. 자연은 원래 풍요롭고 관대하지만, 인간에게는 까다롭고 접근하기 어렵게 만들어졌다. 왜 그런가? "나무는 높이 자람으로써 뭇 동물들로부터 열매를 지키려 하지만 동물들은 생존경쟁을 통해 열매 따는 법을 찾아낸다. 즉 생존경쟁이 열매 먹는 법을 찾게 만드는 것이다." 이렇게 생존경쟁에 놓인 수많은 적들은 인간을 자연에 적응하도록 내몬다. 이 과정을 거치며 인간은 민첩성과 능력을 익히며 힘을 획득한다.

그런데 애석하게도 루소는 인간을 '치유할 수 없는

것' 즉 '문명'으로 이끄는 진화의 동력이 무엇인지에 대해서는 침묵한다. 대신 어떻게 해서 인공적인 것들을 만들어 내는 방향으로 인간이 진화했는지 그 이유를 설명한다. 혹독한 계절, 변덕스런 기후, 지리학적으로나 지형적으로 어쩔 수 없이 마주할 수밖에 없는 문제들, 이런 것들이 인간을 더욱 더 적극적으로 행동하게 만들었다는 것이다. 강가에 사는 사람들은 낚싯바늘을 만들어 고기 잡는 법을 고안했다. 더 나아가 물의 흐름을 지배하고 호수와 연못, 그리고 바다의 주인이 되었다.

그들은 낚시꾼이 되었고 물고기를 먹으며 살게 되었다. 숲속에서 그들은 활과 화살을 만들고, 사냥꾼과 전사가 되었다. 벼락과 화산, 혹은 적절히 일어난 우연이 그들에게 불 지피는 법을 알려주었다. 그들은 이런 경험을 잘 간직하고 되풀이해서 마침내 이전까지 게걸스럽게 날로 먹던 고기를 불에 구워먹을 수 있게 되었다.

날 것은 자연에 속하고 익힌 것은 문명에 속한다는

사실을 상기하면 루소가 문명과 진화에 호의적인 태도를 보이는 것은 아닌 지 의심이 든다. 어쨌거나 스위스 태생의 이 사상가는 진화를 이와 같이 먹는 방식의 변화에서 읽어내고 있다. 채집에서 낚시와 사냥으로, 날 것에서 익힌 것으로, 열매에서 물고기로, 그리고 날 고기에서 요리된 고기로. 인간의 행동은 어떻게 음식을 먹느냐에 따라 변화를 겪어왔을 것이다. 가히 현실을 해석하는 음식의 계보학이라 할 만하다.

그렇다면 완전하고도 선한 자연이 어째서 불완전하고 악한 방향으로 진화하게 되었을까? 이 질문 앞에서 늘 고통스럽게 침묵하던 루소는 마침내 문명의 기원에 대한 가설을 제시한다. 유목의 삶은 정착하는 삶에 자리를 내어주고, 고독한 개인의 삶은 가족적 삶으로 대체된다. 집단이 생겨나면서 음식을 만드는 새로운 방법 또한 함께 등장한다. 남자는 먹을 것을 찾아다니고, 여자는 화덕 근처에 남아 아이들을 돌보고 음식을 준비한다. 이 최초의 분업에서 수컷은 일시적인 유목생활을 이어가고, 암컷은 완전히 한 곳에 정주하게 된다. 여러 감정들이 진화하고, 언어가 출현하면서 사람들 간에 의사결정을 담당하는 합리적인 조직이 등장한다. 동시에 불평등도 발생한다. 철기와 농업의 발명과 더불어 인간 역사의 비극적 전환이 이루어 진 것이다. 이제 철로 만든 원시적인 농기구들 덕택에 인간은 거주지 주변에서 채소와 뿌리를 경작할 수 있게 되었다.

이처럼 음식은 루소가 현실을 인식하는 데 있어 빼놓을 수 없는 중요한 역할을 담당한다. 먹을 것과 관련된 모든 활동은 생명의 요구에서 비롯된다. 이는 계급과 관련이 있다. 대지를 경작하는 사람들 가운데 어떤 이는 농기구를 만들고, 어떤 이는 그 농기구로 생존을 위한 먹을거리를 생산한다. 또 누군가는 남는 것, 즉 잉여 생산물을 양산함으로써 더 많이 가지려는 욕구가 생겨난다. 과도한 욕망이 불평등을 낳은 것이다. 우리는 역사 속에서 배를 불리려는 욕구가 늘 파멸의 씨앗이었다는 것을 익히 봐왔다. 그런데 이 몹쓸 것이 생겨나는 원리는 사실 먹을 것이 떨어질 거라는 두려움에 있다. 물론 정말로 궁핍한 경제라면 이런 종류의 문제는 아예 일어나지도 않을 것이다. 결핍에 대한 두려움이 곧 초과생산으로 이어지고, 이 초과생산물은 당연히 누군가 관리를 해야 한다.

바로 이 지점에서 사적 소유물이 생겨나고 저장소도 생겨나게 되는 것이다.

배고픔이야말로 현실을 변화시키는 강력한 동력이다. 동물들이 서로를 물어뜯게 하는 것도 배고픔이고, 본래 완전한 존재였던 인간을 복잡하고 불완전하게 만든 것도 배고픔이다. 인간의 먹을거리가 울타리나 도랑에서 따먹던 야생 열매에서 저장소의 채소들로 바뀌는 과정은 곧 유랑생활에서 정착생활로 바뀌는 과정과 맥을 나란히 한다. 유랑 시절의 음식은 단순하고 건강에 좋으며 자연적이다. 그러나 정착생활 이후로는 음식이 점점 복잡해지고 인공적이며 건강에도 좋지 않게 변해간다. 이처럼 쓸데없이 음식을 공들여 만드는 것이야말로 정착의 부산물이다. 루소는 인류가 애초에 먹던 음식들이 다시금 살아나기를 바라면서 자연적인 것과 인공적인 것을 한사코 대립시킨다. 그가 미식을 호되게 비판하는 모든 의미가 여기에 담겨 있다. 미식은 잉여의 불필요한, 사치스러운 학문이다. 뿐만 아니라 미식은 퇴폐와 타락의 증거다. 심지어 그는 이렇게까지 썼다.

프랑스인들은 뭘 먹을 줄 모르는 사람들이다. 왜냐하면 프랑스 사람들이 먹을 만한 요리를 가져오려면 아주 특별한 기교가 필요하기 때문이다.

그렇다면 루소에게 먹을 줄 안다는 것은 어떤 것일까? 대답은 간단하다. 그것은 단순하고 소박하게 먹는 것이다. 어떤 준비도 필요 없거나 최소한의 손질만을 필요로 하는 요리면 된다. 재력가의 식탁과 농부의 식탁을 나란히 놓고 루소는 이렇게 말한다.

땅으로 먹고 사는 사람의 식단은 이렇다. 이 농부는 자신이 거둔 밀로 갈색 빵을 만들어 먹는다. 포도주는 검고 질이 낮아 보여도 자기 포도밭에서 막 짠 것이라 갈증을 풀어주고 몸에도 좋다.

말하자면 제대로 된 음식이란 먹거리의 생산지에서 곧장 소비자의 식탁에 오른 음식이다. 생산자가 곧바로 소비자가 되는 것만이 유일하게 용인할 수 있는 일이다. 그렇다면 부자의 식사는 어떤가. 사실 우리는 부자의 식사가 어떤 건지 잘 모른다. 그의 저서 〈에밀〉에서 가정교사가 자신의 학생에게 질문을 던지는 장면에서나마 부자의 식사를 살짝 짐작해볼 수 있지 않을까?

오늘은 어디서 저녁을 먹을까요? 테이블의 $\frac{3}{4}$을 덮고 있는 은 무더기 옆에 앉을까요? 아니면 은쟁반 위에 놓인 디저트를 먹을 때 쓸 냅킨 꽃밭에서 먹을까요? 쫙 펴진 치마를 입은 채 당신을 마리오네트처럼 다루며 당신이 알지도 못하는 것을 당신이 말했다고 하길 원하는 여자들 사이에서 먹을까요? 아니면 여기서 이십 리 밖 마을에 사는 선량한 사람들 집은 어떤가요? 그들은 우리를 정말로 즐겁게 맞아 줄 거예요. 게다가 아주 좋은 크림을 제공해 주겠지요.

에밀은 최고로 좋은 것을 선택할 것이다.

저는 아주 섬세한 맛을 낸 라구ragoût가 아니라, 싱싱한 과일과 야채, 그리고 질 좋은 크림과 선한 사람들을 진심으로 좋아해요.

부자들은 요리나 테이블 배치 등 식사 준비에 유별나게 신경 쓰기 때문에 그들의 식사는 왠지 특별해 보인다. 하지만 그 점을 제외하면 우리는 부자들의 식탁에 어떤 음식이 올라가는지 잘 알지 못한다. 식사란 맛의 섬세함이나 음식의 조화로운 구성으로 그 가치가 정해지는 것이 아니다. 어린 비둘기처럼 부드럽고 제네바의 주교만큼 살찐 칠면조 고기와 꿩고기에 페르니 산 송로버섯을 곁들인 파이, 그리고 크림을 곁들인 송어 요리와 고급 와인으로 차려진 식탁에 친구들을 초대한 볼테르와 달리 루소는 유제품과 과일과 채소의 효능을 찬양했다. 식사를 어디서 어떻게 할지, 즉 식사의 연출과 관련하여서도 그는 전원의 풍경 속에서 펼쳐지는 피크닉의 즐거움을 추종한다.

> 샘물 근처의 오리나무와 개암나무 수풀 아래 신선하고 푸른 풀잎 위에 식사를 차려라. …풀밭이 곧 식탁과 의자다. 우물가에 음식을 차린다면 디저트는 나무에 달려 있을 것이다.

이곳이 바로 식탁, 의자 등 식사에 필요한 모든 것이 준비되어 있는 곳, 즉 식사를 위한 에덴동산이다. 식사에 초대된 손님과 시중드는 사람들에 대해 루소는 격식을 차리지 말라고 조언한다. "누구나 모든 음식을 먹을 수 있다." 어깨에 농기구를 짊어진 농부가 근처를 지나간다면 마땅히 그를 식사에 초대해야 할 것이다. 이것이 에덴동산 공동체다. 이 철학자는 주변인들의 결혼식에도 빠짐없이 참석했다. "사람들은 내가 유쾌하고 즐거운 사람이란 걸 알기에 기꺼이 나를 초대한다." 피로연에서 즐겨 부르는 아름다운 노래들이 파티를 흥겹게 했을 테니까.

서민적인 영혼의 소유자 루소, 그는 『고백록』에 이런 글을 남겼다.

> 나는 시골 밥상보다 더 귀한 것을 알지 못한다. 신선한 유제품, 달걀, 채소, 치즈, 갈색 빵, 그만하면 괜찮은 와인. 사람들은 언제나 이런 음식들로 나를 잘 대접해준다." 그는 더 세세하고 분명하게 다음과 같이 기술하고 있다. "나의 배梨, 나의 치즈 지운카Giuncà, 나의 빵 그

리새grisses을 얇게 자른 다음 몽페라Montferrat산 싸구려 포도주 몇 잔을 곁들인 맛…, 이보다 행복할 순 없다.

무엇이 몸에 좋은지 알았던 음식학자 루소는 이처럼 음식을 매개로 사람들이 과도한 욕구의 일부분을 덜어냈으면 했다. 또한 그는 어떤 음식을 먹느냐가 곧 어떤 사람이 되느냐를 결정한다는 것도 잘 알고 있었다. 루소는 『누벨 엘로이즈』에서 다음과 같은 말을 남겼다.

그 사람이 어떤 음식을 좋아하는지를 보면 그가 어떤 성격인지 단서를 읽어낼 수 있다고 생각합니다. 야채를 많이 먹는 이탈리아 사람들은 유순한 편이죠. 영국인 여러분들은 고기를 무척 많이 먹습니다. 여러분들의 쉽게 굴하지 않는 성격에는 단단한 그 무엇, 야생성에서 비롯된 그 무엇이 있습니다. 스위스 사람들은 본성적으로 차분하고 온화하며 단순하지만, 화가 났을 때는 폭력적이고 아주 크게 성을 냅니다. 이들은 너나 할 것 없이 먹는 것을 좋아하고 우유와 와인을 즐겨 마시지요. 갖가지 음식을 맛보는 프랑스인들은 말랑말랑하고 변덕스러운데다 성격도 제각각이죠.

‘인간은 곧 그가 먹는 것’이라는 생각을 『고백록』에서도 찾을 수 있다. 루소는 다양한 민족이 존재하는 까닭은 그만큼 다양한 영양분이 있기 때문이라고 설명한다. 사람들이 처한 외부환경은 저마다 다르지만 이 철학자는 사람들이 덕을 갖추기에 최적인 상태로 영혼을 간직할 수 있고, 상황에 따라 유연하게 바뀔 수 있는 식생활 환경을 구축할 생각이었다. 이 계획 속에서 그가 사람들의 영혼에 영향을 줄 것으로 기대했던 것들은 기후, 계절, 색깔, 소음, 활동영역, 어두움, 빛, 소리, 고요함, 운동, 정지 그리고 마지막으로 당연히 음식이 다. 왜냐하면 “모든 것은 우리의 기계에 작용하고, 따라서 우리의 영혼에 작용”하기 때문이다. 니체라면 이를 ‘자기보존의 본능’이라 불렀을 것이다.

이것이 바로 루소가 바랐던 음식 교육법이다. 루소는 『에밀』을 통해 우리를 타락시키는 문명의 잔재를 버려야 한다고 가르친다. 그리고 건강에 좋은 사회적 삶으로 우리를 초대한다. 루소가 공들여 만든 음식의 기술이 바로 이 책에서 펼쳐진다. 루소는 가장 먼저 어머니, 혹은 건강한 여성으로부터 받은 수유의 효능에 대해 찬사를 보내는 것으로부터 음식의 교육법을 세우기 시작한다. (물론 그는 다섯 명의 자식을 국가의 보살핌에 맡겨버렸기에[11] 이 교육법을 몸소 실천할 기회는 없었다…) 우유는 탁월한 음식이다. 모유의 상징을 다시 환기할 필요는 없다. 자연은 아이에게 필요한 모든 것들을 마련해준다는 것만은 확실하다. "자연은 모든 종의 젖먹이가 성장하는 단계에 따라 모유의 농도를 변화시킨다." 그러므로 아이에게 젖을 먹이는 여자들에게는 몸에 좋은 영양분이 충분히 공급되어야 한다. 여성 농부의 경우가 바람직한데, 이는 도시 여성보다 고기는 더 적게, 채소는 더 많이 먹기 때문이다. 채식은 도시적 식습관과 반대라는 점 그 이상으로 훨씬 좋은 것이다. 도시의 부르주아 여성들은 고깃국이 양질의 모유를 더 많이 만든다고 확신한다. 그러나 루소는 이런 모습을 전혀

11 1768년 루소는 20년 동안 동거하던 여인과 정식으로 결혼한다. 그 사이에 태어난 아이들은 고아원으로 보내졌다. 볼테르는 이 일을 '시민의 견해'라는 팜플렛을 통해 루소를 비난했고 이후 둘은 절교에 이른다.

이해할 수 없었다.

"이런 젖을 먹은 아이들이 다른 아이들보다 복통과 기생충에 더 약하다는 것을 나는 경험으로 알고 있다." 루소는 고기가 야채와 달리 부패하기 쉽기 때문에 이런 일이 발생한다는 점을 분명히 밝히고 있다. "우유는 동물의 몸에서 만들어지지만 사실은 식물성 물질이다." 이 철학자는 꼭 화학자처럼 말한다. 채식을 하는 암컷의 젖은 육식을 하는 암컷의 젖에 없는 영양소들이 풍부하며 더 부드럽고 건강에도 이롭다.

젖줄을 예찬하던 루소는 더 나아가 응고된 우유의 효능을 찬양한다. 이는 온전히 유제품만 먹고 자란 사람들에 관한 기록에 근거한다. 우리가 마신 우유는 위에서 응고된다. 언제나 과학적인 근거를 찾으려 했던 루소는 소화기 근육에서 우유를 굳게 하는 효소가 분비된다는 사실을 밝히고 있다. 이 사실은 위가 모든 음식을 소화하는 기관이므로 우유 또한 음식이라는 것을 말해주는 것이다. 그리고 우유는 음식들 가운데 가장 단순하며 자연적인 음식이다. 루소는 우유보다 더 나은 음식을 찾지 못했다. 나머지는 그저 우유의 아류

일 뿐. 그래서 이 제네바 시민의 접시에는 우유로 만든 다양한 음식들이 담겨있었다. 쥬라 산 유제품들은 그에게 아주 맛있는 간식거리였다. 크림 두 접시에 "그뤼(grus, 보리, 귀리로 만든 죽—옮긴이), 세라세(céracée, 스위스 치즈—옮긴이), 와플 그리고 에크를레(écrelets, 향료를 첨가한 스위스 빵—옮긴이)".

이 철학자에게 "유제품과 설탕의 결합이란 마치 성적 결합이 주는 맛처럼 자연스럽다. 그 둘은 가장 사랑스러운 장식을 새긴 순수함과 부드러움의 상징인 것이다." 게다가 그는 『누벨 엘로이즈』의 주인공 줄리Julie를 이렇게 묘사하기도 했다.

감각적이면서도 맛있는 식사를 추구하는 그녀는 고기도, 라구도, 소금도 좋아하지 않았다. 물을 타지 않은 와인도 입에 대지 않았다. 신선한 야채, 계란, 크림, 과일이 그녀가 즐겨 먹는 일상적인 음식이었다.

루소에게 여성이란 남성보다 자연에 더 가까운 존재며 그래서 더욱 진리에 가까운 존재다. 또한 문명의 때가 덜 묻은 여성은 보다 더 건강한 취향을 보존하고 있다. 이는 가히 여성숭배 수준에 가깝다. 몸에 좋은 맛, 그것은 단순한 맛이며 남성들의 취향과는 반대되는 여성들의 취향이다. 그 맛은 여러 가지가 배합되고 섞인 음식의 맛, 관습상 맛있다고 배워서 느끼는 강하고 자극적인 맛과는 반대되는 맛이다. 이렇게 순수한 것, 건강한 것, 진실한 것, 자연스러운 것을 대표하는 기적의 양식이 있다면 그것은 무엇일까? 바로 우유다. 나머지는 불순하다.

> 인간에게 최초의 양식은 우유다. 우리는 자극적인 맛에만 익숙해져 버렸다. 그런 맛들은 정말이지 혐오감을 불러일으킨다. 과일, 야채, 허브, 양념이나 소금을 치지 않고 구운 약간의 고기가 최초 인류의 진수성찬이었다.

우유에 물과 빵이 더해져 몸에 좋은 음식의 삼위일체를 이룬다. 루소는 소금을 거부한다. 정확히 말하면 소금을 만들어낼 때 필요한 기술을 거부하는 것이다.

따라서 이는 문명의 거부인 셈이다. 루소는 이 점에 그토록 집착을 보였다.

몸에 좋지 않은 맛이란 꾸며진 맛, 인위적인 맛이다. 이 철학자의 눈에는 음식이 지닌 자연적인 형태 그대로를 사용하지 않은 모든 것이 꾸며진 것이다. 와인은 물론 발효된 술 모두가 문명의 산물이다. 발효, 증류, 습도조절 모두 인공적이다. 요리 하나를 만드는 과정에 너무나 많은 작업들이 개입되기 때문이다. 음주는 문명화된 행동이지 온전히 자기 행복에서 비롯된 행동은 아니다.

"어릴 때 어른들이 우리에게 포도주를 건네주지 않았더라면 우리들 대부분은 술을 마시지 않았을 것이다." 우리는 발효된 술도 없이, 또 고기도 없이 그렇게 살았을 수도 있다. 왜냐하면 "고기의 맛은 인간에게 자연스러운 것이 아니기" 때문이다. 루소는 어린 아이들의 입맛에서 그 증거를 찾는다. 어린 아이들은 육식 위주의 식단에는 관심이 없고, 우유, 과자류, 과일 등 식물성 음식을 좋아한다. 루소는 아이들이 본래 지니고 있는 채식의 경향이 계속 유지될 수 있도록 하는 데 관심을 기울였다.

> 특히 본래 가진 취향이 변질되지 않도록 하는 것, 그래서 아이들이 육식을 전혀 즐기지 않도록 하는 것이 중요하다. 이는 단지 건강을 위해서뿐만 아니라 성격을 위해서도 그렇다.

인간의 잔인함은 고기 섭취에서 비롯된다. 루소는 이 주장의 근거를 대신하여 플루타르코스를 인용한다. "어마어마한 흉악범들이 피를 마시며 살인에 무뎌진다." 고기를 먹는 사람들은 시체를 자르는 사람과 같거나 유사하다. 이 주장은 오래된 것으로 피타고라스가 원조이다.

늘 과학적이고자 했던 루소는 채식주의가 좋다는 생리학적 근거를 이렇게 제시한다. 인간 신체의 구조, 즉 이빨이나 위와 장의 배치는 고기가 아닌 음식을 소화하는 데 적합한 구조라고. 그런데 여기서 루소는 논리적 오류, 정확히는 원인과 결과를 혼동하는 오류를 범하고 있다. 이 제네바 시민은 음식이 몸과 존재를 만들어낸다고 여러 차례 주장했다. 그런데 여기서는 몸이 만들어진 대로 음식을 먹는다는 추론이 가능해진다. 그렇다면 어떤 동물이 채식을 하는 이유는 그 동물이 이러저러한 생리적 기능을 가지고 있어서일 뿐 그 반대는 아닐 것이다. 실제로 루소는 열매를 먹는 동물과 인간이 서로 같은 종류의 이빨과 장을 가지고 있다는 사실도 알아냈다. 이로부터 인간이 온순한 초식성에 가깝다는 결론을 이끌어내기까지 했다.

루소의 공식은 단순하다. 육식을 하면 호전적이 되고, 채식을 하면 평화를 사랑한다. 육식 대 채식, 싸움 대 평화. 루소는 인간이 채집으로 먹고 살다가 육식으로 이행하는 지점을 가리키며 자연에서 문명으로의 이행을 설명한다. 이것은 가히 루소 버전의 문명 계보학이라 할 수 있다.

육식동물이 싸우는 것은 다른 이유가 아니라 바로 먹이 때문이다. 열매를 먹는 동물들은 그들끼리 평화롭게 산다. 만일 인류가 이러한 동물 군에 속했더라면 자연 상태에서 훨씬 더 존속하기 쉬었을 것이며, 자연 상태에서 벗어날 필요도 기회도 확실히 적었을 것이다.

하지만 인간이란 종은 어째서 채식을 하며 자연 상태에 남아 있지 않고 구태여 육식을 하며 문명 상태로 건너왔을까? 루소의 말대로라면 자연은 완전하고, 또 인간에게도 완전한 것을 제공해준다고 하지 않았던가. 이 질문에 대해 자연은 답이 없다. 언제나 이 사색가를 곤혹스럽게 하는 침묵뿐…

인간이 자연적으로, 즉 본성적으로 채식주의라는 또 다른 증거가 있다. 채식을 하는 종들은 육식으로 영양섭취를 하는 종들보다 새끼를 잉태하는 빈도가 더 낮다. 인간은 출산 전 새끼를 모체에 가장 오래 품고 있는 동물이다. 이 점은 인류가 채식동물에 가깝다는 증거다. 루소의 논리에 따르면 자연의 변화는 선한 것이다. 왜냐하면 본능의 힘을 믿어야 하기 때문이다.

이 논리대로라면 지구상에 날고기를 먹는 사람들도 있다는 것을 어떻게 설명할 수 있을까? 『언어의 기원에 관한 논고』에서 루소는 에스키모를 가리켜 "모든 인간들 가운데 가장 야만스럽다"고 비난을 퍼부었다.

자연적 상태를 상징하는 날고기를 먹는 습관, 즉 야만성을 어떻게 이해할 수 있을까? 루소와 마찬가지로 자연을 예찬했던 디오게네스가 논리적 오류를 범하지 않고 내릴 수 있었던 유일한 결론은 이렇다. 식인과 날고기의 소비는 인류의 자연적 본성에 기인한 것이므로 정당하다.

인공적인 것이라면 죄다 싸잡아 비판한 루소였지만, 디오게네스와 달리 그는 불까지 비판의 대상에 포함시키지는 않았다. 이 철학자는 문명의 상징이자 프로메테우스적인 것을 대표하는 불을 기꺼이 받아들였다. 불은 시각과 후각에 기쁨을 주고, 몸에 열기를 주며, 인간을 한데 모으고, 짐승들의 접근을 막아준다. 이와 반대로 불을 제외한 대부분의 인공물에 대해서 루소는 비난을 퍼부었다. 특히 루소는 모든 과일과 채소를 사계절 내내 먹을 수 있게 만든 농업의 생산방식에 대해 비난을 쏟아 부었다. 온실이 주는 풍요는 사물의 자연스러운 과정을 거스른 것이다. 자연은 계절마다 제철음식을 생산한다. 그런데도 한 해 동안 자연에서 일어나는 순리를 거스르면서 마치 신처럼 제멋대로 과일과 채소를 생산하는 것은 참으로 비합리적이다. 게다가 농산물의 품질마저 떨어뜨린다.

> 체리가 얼 정도로 추울 때 체리를 얻을 수 있다고 치자. 또 한 겨울에 황갈색 멜론을 구할 수 있다고 쳐보자. 그렇다 한들 체리와 멜론을 무슨 맛으로 먹을까? 목이 마르지도 않고, 입 안을 시원하게 해야 할 필요도 없는데. 반대로 폭염의 열기 속에서 텁텁한 밤을 먹고 싶을까? 이미 대지가 공들여 키워준 까치밥나무 열매와 딸기가 갈증을 풀어주는데 구태여 군밤을 좋아해야 할까?

이 사상가의 확고한 신념은 작품에서도 고스란히 드러난다. 그는 처녀성에 대한 환상, 순수함과 평화주의에 대한 환상을 끝까지 밀고 나갔다. 먼저 완전한 것이 있다. 순진무구함, 순수함, 원초적 신선함. 그리고 이를 대표하는 상징적 인물은 농부다. 다른 한 편으로 불완전한 것이 있다. 만들어진 것, 복잡한 것, 섞인 것. 그리고 이를 대표하는 상징적 인물은 부르주아다. 자연 대 문명. 우유 대 라구.

음식에 관한 루소의 이론은 스파르타적이며 마치 수도원의 규칙인 금욕과 고행의 이론과 유사하다. 이는 신체 경멸, 자기혐오와 관계가 전혀 없지 않다. (이러한 혐오와 경멸은 인류 전체에 대한 경멸과 혐오로 쉽게 확장될 수 있다.) 이 점은 경쾌함과 쾌락에 몰두하는 즐거운 지식으로서의 미식에 대한 관심보다 자신들의 식욕부진을 다스리려 절제의 음식학을 주장하는 사람들이 대부분 공유하고 있는 부분이다.

채식으로 유명한 사람들 가운데 살육을 일삼은 사람이 있다면 과연 놀라운 일일까? 두 명의 대표적인 사례가 있다. 먼저 생 쥐스트[12], 그 또한 스파르타식 기준에 빠져있던 인물이었다. 그가 자유에 관한 이론을 밝힌 『공화국 제정에 관한 단편』에서 생 쥐스트는 아이들의 양육에 관해 지면을 할애한다. 아이들을 위한 식단에는 빵과 물과 유제품뿐이었다. 두 번째로 유명한 채식인은 아돌프 히틀러다. 무슨 말이 더 필요한가?

12 Louis Antoine de Saint-Just: 프랑스 혁명기 로베스피에르와 더불어 자코뱅 독재와 공포정치를 확립

04

취하라, 늘 취해있어야 한다

칸트

임마누엘 칸트는 삼십 년 동안 술을 마셨다. 물론 단골 선술집에서부터 쾨니스베르크의 마지스테르가스에 위치한 자기 집을 찾아갈 수 있을 만큼은 절제했다. 매일 저녁 그는 당구를 치고 카드놀이를 했으며, 정오에는 한 잔의 와인을 마셨다. 맥주는 입에 대지도 않았다. 그는 이 프러시안적 음료를 대놓고 싫어했다. 맥주는 "느리게 작용하지만 확실히 치명적인 독"이다. 칸트는 맥주를 사망률 상승의 주요 원인이자 치질의 주범으로 여겼다.

선술집을 드나드는 칸트라니, 그런 그의 모습이 전혀 놀랍지 않다면 거짓말이다. 그는 엄격하고 매사에 정확한 경건주의자이자 난해하고 까다로운 철학을 제시한 철학자였지만 애주가이자 정통 미식가로서도 손색이 없었다. 칸트의 친구이자 국왕의 자문관이었던 본 히펠von Hippel은 가끔씩 그를 이렇게 놀렸다.

"이제 조만간 음식 비판을 쓰겠군."

이럴 수가, 여태 미식이성비판이 나오지 않았다니! 취미 판단을 분석한 『판단력 비판』에서도 그는 음식에 대해서는 전혀 지면을 할애하지 않았다.

칸트는 감각이론을 제시하면서 오감 중에서도 보다 우월하고 객관적인 감각이 있다고 주장했다. 그것은 촉각, 시각 그리고 청각이다. 이에 비해 후각과 미각은 상대적으로 열등하고 주관적인 감각이다. 칸트가 보기에 코와 입은 품격이 낮은 감각 기관이었던 모양이다. 왜냐하면 "이들 감각 기관으로부터 만들어지는 표상은 외부 대상에 대한 지식을 전해주기보다는 쾌락을 나타낼 뿐이기 때문이다." 즉 후각과 미각으로 얻은 지식은 보편적인 지식이 될 수 없다. 이 지식은 인식 주체에 따라 달라지는 상대적이고 특수한 지식이다. 사람마다 느끼는 양상이 다른 만큼 느낀 내용이 왜곡될 수 있다. 맛의 감각은 '외부의 물체와 혀, 입천장, 목구멍의 접촉으로 구성'되어 있다. 그렇다. 우리는 이렇게 맛을 느끼고, 그 맛이 좋은지 아닌지를 판단한다. 칸트에 따르면 이처럼 '입의 취미 판단'을 내리는 복잡한 과정에는 상상력과 기억, 지성이 개입되지 않는다. 맛에 대한 기억이나 맛의 배합과 연관된 기억이 없어도, 분석적이고 종합적인 상상력 없이도 음식의 맛을 느끼는 데는 전혀 문제가 없다. 칸트는 이를 잘 알고 있었다.

미각은 식사를 통해 사교성을 증진시키는 데 쓰이는 반면, 후각은 '미각보다는 덜 사회적'이라고 그는 주장한다. 칸트는 입으로 음식을 맛보는 것에 대해서는 섭취가 주는 즐거운 감정만을 주로 논한다. 사실 후각은 곧 맛보게 될 음식의 풍미가 어떨지 미리 알려 주기도 한다. 그러나 후각은 미각과 별개의 것이다. 어떤 냄새가 나면 다른 사람과 똑같이 그걸 느낄 수밖에 없을 뿐더러 "자기 뜻과 무관하게 남들이 풍기는 것을 어쩔 수 없이 말아야 한다. 이런 점에서 후각에는 자유가 없다."

반대로 미각은 보다 큰 즐거움을 제공한다. 왜냐하면 우리는 좋아하는 것을 골라 맛있는 것을 선택할 수 있고, 또한 함께 식사하는 사람들 역시 "다른 이들의 강요 없이, 자기가 먹고 싶은 대로 음식과 술을 선택해 즐길 수 있기 때문이다." 이렇게 선택이 존중되면 사교적인 분위기가 한층 무르익는다. 미각은 '함께함의 감각'이 된다.

물론 미각 역시 혼자 느끼는 것이고 주관적인 것이다. "쾌와 불쾌는 대상을 파악하는 인식능력의 지배를 받지 않는다. 그것은 주체의 결정이다. 그러므로 외부 대상을 탓할 수 없다." 칸트는 진실, 올바름, 아름다움에 이를 수 있는 조건, 즉 보편적인 판단을 가능하게 하는 감각에 더 가치를 둔다. 그런데 미각의 경우엔 맛을 보는 이들에 따라 가치 판단이 얼마든지 달라질 수 있다. 보편성에 관심을 두었던 이 철학자는 이처럼 개별적인 것을 이론화하는 데에는 별 흥미를 느끼지 못했다. 각자가 맛을 음미하고 냄새를 느끼는 일은 비판

이론의 대상이 될 수 없었을 것이다. 이것이 칸트가 미식이성비판을 쓰지 않은 이유일 것이다.

취미가 사유의 대상이 될 수 있다면, 그것은 우월한 감각에 속하는 촉각, 청각, 시각에 대해서만 그러할 것이라고 이 철학자는 생각했다. 그의 세 번째 비판서인 『판단력 비판』에 취미 판단 분석에 그 내용이 등장한다. 물론 칸트가 예술과 관련해서는 부족한 부분이 있었다는 점을 명확히 해두자. 그는 그림에 조예가 그리 깊지 않았고, 문학을 인용하는 경우는 거의 찾아볼 수 없었다. 군악대를 좋아했던 것 외에 음악에 관해서도 거의 귀머거리에 가까웠다. 칸트의 친구이자 전기 작가인 와시안스키Wasianski는 "다른 것을 제쳐두고 그가 제일 좋아하는 건 전쟁 난 듯 시끄러운 음악이었다."고 주장했다. 사실 칸트는 모시스 멘델스존[13]을 기리는 콘서트에 다녀온 뒤부터 음악이 있는 연회를 혐오하기 시작했다. 그에게 음악이란 자기 시간을 할애할 만큼 가치 있는 것은 아니었다. 악기 연주는 그보다 더 중요

13 **Moïse Mendelssohn** 칸트가 경의를 표했던 독일 계몽철학자이자 작곡가인 펠릭스 멘델스존의 할아버지.

한 것에 손해를 입힌다. 이 철학자가 보기에 음악의 궁극적 결점은 이렇다. 음악은 단지 감정을 표현할 뿐 절대로 관념을 표현할 수 없다는 것. 이렇게 그는 음악으로부터 완전히 관심을 꺼버렸다.

그런 이유로 음식 취미에 대한 비판이론 역시 나오지 않았다. 아무리 융통성 있는 학문이라 해도 너무나 애매한 주제다. 물론 이런 반박이 가능할 수도 있다. '애매함'이란 미각이 지닌 필연적 특성이라고. 미각뿐 아니라 시각, 청각, 후각, 촉각 등 그 어떤 지각인들 객관적으로 분석해낼 수 있겠냐고 말이다. 뭐 그렇다 하더라도 이 철학자가 음식이나 음료에 대해 어떻게 생각했는지, 그가 여기저기 남겨 놓은 생각들을 살펴보지 말라는 법은 없다. 음식을 먹을 때 칸트의 포크질은 변함없이 명확했다는 것을 잊지 말자.

보로우스키에 따르면 "그는 어떤 음식을 좋아하게 되면 그 요리를 만든 사람에게서 조리법을 받아냈다. 그는 만들기 어려운 요리를 즐겨 찾지는 않았다. 대신 고기는 부드러워야 하고 빵과 와인은 좋은 것이어야 한다는 것만은 특별히 고집했다. 그는 빨리 먹는 걸 좋아하지 않았고, 식사 후에 곧바로 자리를 뜨는 것 또한 좋아하지 않았다."

『순수이성비판』의 책장을 넘길 때 우리는 한 페이지를 쓰고 나서 다음 페이지를 펼치기 전, 어디선가 받아온 조리법을 하녀에게 주려고 열심히 베껴 쓰고 있는 칸트를 상상해야 한다. 음식을 대하는 칸트의 모습은 마치 자기 병영을 이탈한 병사처럼 약간은 모자라 보였다. 하지만 순종적인 하녀는 그가 부탁한 내일의 식사를 열심히 준비했다.

1760년대에 칸트는 늘 취해 있었다. 그때의 경험을 토대로 만취상태에 대한 이론을 구축한다. 그는 『실용적 관점에서의 인간학』에서 만취상태를 다음과 같이 설명한다. 만취란 '경험이 따르는 법칙들에 의해 감각적 표상에 질서를 부여하지 못하는 상태, 즉 본성에 반하는 상태'이다. 또한 만취란 '상상력을 자극하고', 감정을 고조시키거나 증폭시키는 신체적 방법이기도 하다. "발효주, 포도주, 맥주 또는 거기서 추출한 주정酒精, 증류주…, 죄다 자연에 반하는 인공적인 물질들"이야말로 신적인 연금술의 도구들이다. 칸트는 자기를 잊게 해주는 이 기술이 우리를 거친 세상으로부터 잠시 도피시켜준다는 점은 인정했다.

삶 속에 자리 잡고 있는 본래의 짐들을 잠시 잊어버리자.

철학자는 그렇게 얻은 결론들을 이론화한다. 과묵하게 취하는 증류주, 활력을 주는 와인, 포만감의 맥주. 음주는 "연회에 취기를 제공하는데 어떤 술이냐에 따라 이 취기에도 차이가 있다. 와인 파티는 사람들을 즐겁고 떠들썩하고 수다스럽게 한다. 반면에 맥주 파티는 사람들을 꿈속에 빠뜨려 가두려는 경향이 있고 늘 기억을 흐릿하게 만든다."

칸트는 비틀거리고 중얼거리는 만취의 증상들을 묘사하면서 사회에 대한 의무, 자기 자신에 대한 의무를 잊게 만드는 취기에 유죄판결을 내린다. 물론 정상참작도 빠뜨리지 않는다.

"하지만 이러한 판단이 심하다고 생각하는 사람들은 이렇게 주장할 수 있다. 손님들을 초대하는 입장에서는 손님들이 이 사교모임에 완전히 만족하고 돌아가기를 바란다. 그런 의도로 주인이 손님들에게 계속해서 술을 권하기 때문에 사람들은 자기 통제를 망각하고 선을 넘어버리기 쉽다." 사람은 스스로 저지른 실수에 대해서는 너무 쉽게 관대해진다는 것을 신은 알고 있다! 네 죄를 사하노라.

술은 탁월한 위로란 생각을 고집하면서 칸트는 취한 상태와 마음의 평화를 연결시킨다. "적어도 취했을 때만큼은 인간이 태생적으로 매순간 이겨내야만 하는 생의 장애물을 느끼지 않는다." 술에 취하면 좋은 게 또 뭐가 있을까? 술은 혀와 마음을 풀어준다. 심지어 취기는 우리를 좀 더 도덕적인 인간으로 만들기까지 한다.

"취기는 솔직함이라는 도덕적 성질을 실어 나르는 물질적 전달 수단이다. 순수한 마음을 가진 자가 속내를 드러내지 않고 꿍하니 앉아있으면 숨이 막힌다. 얼큰하게 취한 상태에서는 앞 사람이 너무 절제하는 모습을 보이면 참기 힘들다. (…) 잠시 동안만이라도 가볍게 선을 넘게 내버려두자. 모임의 열기 속에서 절제의 경계선은 너그럽다.” 만취 상태는 취한 자의 내면에 있던 다른 인간을 해방시키고, 원래 성격에서는 찾아볼 수 없는 제 2의 본성을 풀어준다.

술에 취한 칸트는 유난히 쾌활했을 게 틀림없다. 술에 취한 자신을 관찰하며 통찰력을 얻었을 것이다. 타인에 대한 관찰은 자신에게서 얻은 정보를 보충하는 데 그쳤을 것이다. 술에 취해 쾨니스베르크 거리를 비틀거리며 걷는 칸트…, 왠지 매력적이지 않은가? 순수이성이 따르라 요구하는 정언명령의 엄격함도 그만큼 누그러진 것 같아 보인다. 그러나 진짜로 그랬을 것 같진 않다. 왜냐하면 그가 다른 곳에서는 절제하지 못하는 인간의 논리를 호되게 추궁하곤 했기 때문이다. 사뭇 진지한 『도덕 형이상학』의 ‘덕목 이론’ 가운데 칸트는 한 장의 제목을 이렇게 붙였다.

‘쾌락과 음식을 무절제하게 활용하는 자신의 우매함에 대하여’

여기서 과음은 과식과 관련되고, 또 자기 자신에 대한 의무를 소홀히 한 도덕적 결함과도 관련된다. “음식이 주는 즐거움에 빠져 짐승처럼 과식하는 것은 즐거워지는 방법을 남용하는 것이다. 이는 음식을 지적으로 이용하는 능력을 방해하거나 떨어뜨린다." 즉, 만취와 폭식은 악덕이며, 취한 자는 인간이 아니라 짐승으로 다뤄야 한다는 얘기다.

"이 상태에 빠진 채 음식을 흡입하면 인간은 잠시 마비가 된다. 집을 찾아가야 하는 데 주소도 모르고, 음식의 효능을 적절히 생각해서 먹어야 하는데 생각도 마비된다." 칸트는 여기서 알코올을 지혜와 존엄성, 그리고 자기 절제를 떨어뜨리는 마약류와 동일시한다. 언제나 고결한 삶을 살았던 칸트는 계속 말을 이어간다.

이처럼 품위를 실추시키는 유혹에 우리는 쉽게 빠질 수 있다. 왜냐하면 술을 마시면 잠시 동안 우리가 꿈꾸었던 행복을 느끼고, 걱정거리에서 해방되며 심지어는 진짜로 강해지는 것 같은 착각에 빠지기 때문이다. 그러나 다음 날이면 어김없이 몰려오는 숙취와 함께 우리는 더더욱 의기소침해지고 우울해지며 약해진다. 폭음은 그래서 해로운 것이다. 더 나쁜 것은 음주가 우리를 지력이 뚝 떨어진 그 상태로 되돌아가게 하면서도 점점 더 많이 마시게 만든다는 것이다.

그러니 어쩌겠는가? 지혜롭게 마실 수밖에. 술이 지닌 중대한 위험은 그것이 주는 위안에 극단적으로 빠져 들면서 그 상태를 반복할 때 발생한다. 물론 절제할 수 없을 정도로 깊이 빠지지만 않는다면 취하는 기술은 몇 가지 면에서 이로운 점이 있다. 우리가 이 철학자의 말을 믿는다면 말이다.

폭식은 폭음보다 더 나쁘다.(알렉시스 필로넨코[14]는 칸트 저작의 번역에서 이 폭식을 식도락으로 표현했다) 왜냐하면 "폭식은 먹는 대로 수동적으로 배가 불러오는 감각만을 느끼게 할 뿐 폭음처럼 표상을 형성하는 데 능동적 역할을 할 수 있는 상상력에는 절대로 이르지 못한다. 그래서 폭식은 동물적 즐거움에 가장 가까운 것이다."

설명을 이어가던 칸트는 사족과 같은 하나의 문제를 제기한다. 와인에 취한 사람들에게서 나타나는 우호적인 품성에 관한 것인데, 그 미덕을 예찬하기보다

14 Alexis Philonenko(1937~2018); 프랑스 철학사가로 칸트 철학의 대가.

는 왜 그런 예찬이 필요한지에 대해 자문한다. 술에 취해 고독하고 우울해져 혼자 틀어박히는 것은 기본적으로 유죄다. 술은 인간관계가 조화를 이루도록 도와줄 때가 좋은 것이다. 이 엄격한 경건주의자는 이런 말을 남기면서 이제 실천적인 행복주의자가 된다.

> 향연은 무절제로 향하는 특별한 초대다. 거기서 우리는 앞서 거론된 두 가지 형태로 즐거움을 추구한다. … 하지만 우리는 순전히 물질적인 즐거움을 넘어 도덕적 목적과 지혜에 이르는 무언가를 행할 수 있다. 그것은 상호소통을 원활하게 하여 많은 사람들을 오래도록 하나로 묶어주는 것이다. 그런데 이 소통에 동참하는 숫자가 뮤즈들의 숫자인 아홉 명을 넘어서면 결국 가까이 있는 사람들과 얄팍한 소통만을 나누고 만다. 이럴 경우 수단이 목적에 부합하지 않고 거꾸로 가버려 많은 이들이 비도덕적인 행동을 하고 만다.

섭취의 양과 방식에 따라 차이가 생겨난다. 칸트는 이 문제에 대한 구체적인 해결책을 제시했다. 그는 꽤 오랫동안 대중식당에서 점심을 먹었다. 그런데 거기서 우연히 사람들을 만나다 보니 원치 않게 분위기가 소란스러워졌다. 결국 칸트는 그런 상황을 피해 식당은 물론 다른 공공장소에도 가지 않기로 결심했다. 집에서만 식사를 하기로 한 것이다. 하지만 얼마 후 그는 혼자 밥 먹는 행위가 건강에 해롭다고 판단하여 '혼밥'을 피하고자 간명한 격식을 고안해냈다. 이와 관련한 일화가 있다. 점심 때 초대한 손님이 오질 않자 칸트는 하인에게 말했다.

"집 앞으로 지나가는 첫 번째 사람을 식사에 초대하게. 주인이 진심으로 환영한다고."

보통의 경우 칸트는 아침에 편지를 보내서 친구들이 다른 약속을 잡지 못하게 했다. 요리사는 이 철학자가 전날 주문한 대로 음식을 준비했다. 칸트의 제자이자 열렬한 추종자였던 야흐만R. B. Jachmann은 칸트의 모습을 이렇게 전하고 있다.

"칸트는 그의 손님들을 주의 깊게 살피며 그들이 무슨 음식을 좋아하는지 꼼꼼하게 적었고, 거기에 맞는 음식들을 준비하도록 지시했다." 식탁은 총 6열로 만들어졌지만, 칸트는 체스터톤의 원리를 실천지침으로 삼았다. 절대 9명 ─ 뮤즈의 수 ─ 을 넘기지 말 것. 그래서 대부분 셋 또는 다섯 명이 함께 밥을 먹었다. 점심식사는 네 다섯 시간 동안 이어졌다. 노년에 접어든 칸트는 이제 소화를 돕는 오후의 산책을 그만 두고 식후에 한두 잔의 커피와 파이프 담배를 피우는 것을 좋아했다. 파이프는 온종일 그의 손을 떠나지 않았다. 함께 식사하는 이들도 대개 비슷한 사람들이었다. 또 그 시절엔 이따금 교수의 집에서도 강의가 진행되곤 했기 때문에 칸트의 제자들도 자주 드나들었다. 미래의 장관, 프러시아 총독, 보병대의 장군, 공작, 백작, 의장, 국왕의 자문관, 은행 총재, 상인…, 하지만 이 행사의 주최자인 철학자는 그들이 하는 일에 참견하지 않고, 흔해빠진 이야기는 의식적으로 피하면서 대화를 이끌었다.

정오의 식사가 하루의 유일한 식사였다. 점심 전에는 아침 다섯 시에 혼자 연한 차 한두 잔을 마셨다. (반세기 동안 한 명의 하인이 그와 함께 했고, 그 뒤로 다른 하인이 일을 이어받았다. 이 두 번째 하인은 술을 한 모금도 마시지 못하게 해서 그를 괴롭혔다.) 그는 커피향은 좋아했지만 상당히 오랜

기간 그것을 금했다. 말년에 들어서야 쇠약해진 기력에 활력을 더하고자 커피를 마시기 시작했다. 야흐만R. B. Jachmann은 말한다.

그의 식단은 간단해서 세 가지 음식과 치즈, 그리고 버터가 전부였다. 여름이면 정원이 보이는 창가에서 식사를 했다. 식욕은 왕성한 편이었으며 특히 소고기 혹은 보리와 버미첼리(vermicelle, 스파게티보다 얇은 전통적인 이탈리아 파스타의 일종—옮긴이)를 넣어 만든 수프를 좋아했다. 그의 식탁 위에 구운 고기는 있었지만 사냥한 고기는 오르지 못했다. 대개 칸트의 식사는 생선으로 시작했고 각 접시에는 겨자가 발라져 있었다. 그는 잘게 썬 치즈만큼이나 버터를 좋아했는데 유독 영국산 치즈를 좋아했다. 이 치즈에 인공색소를 입힌다는 소문도 있었지만. 초대 손님이 많을 때는 케이크를 내어오게 했다. 그는 또 대구를 좋아했다. '나는 심지어 식탁 밖에서도 이것을 접시에 가득 담아 먹을 수 있다.' 육즙을 최대한 누리기 위해 고기를 오래 씹었고, 남은 것은 버리거나 그릇 옆에 놓인 빵 껍질 밑에 애써 숨기곤 했다. 다만 이빨이 좋지 않아 늘 걱정이었다. 그는 아주 연한 레드 와인을 주로 마셨는데 보통 메독médoc을 선호했고, 작은 병에 와인을 따로 담아 손님 자리에 놓았다. 대개는 이걸로 충분했지만 레드 와인이 너무 톡 쏜다 싶을 때는 화이트와인도 마다하지 않았다.

식사 후에 칸트는 자기표현대로 "한 잔 하는 것"을 좋아했다. 주로 헝가리나 라인에서 온 '위를 튼튼하게 하는' 와인 반 병 정도였다. 없을 땐 설탕과 오렌지 껍질을 넣고 끓인 비쇼프Bischof 산 레드 와인을 마셨다. 그는 집필에 사용하지 않은 종이로 잔을 감싸서 내용물의 온기를 유지하곤 했다. 야흐만이 정확하게 전하고 있다.

"그는 공기를 삼키면 마시는 기쁨도 그만큼 커진다며 입을 잔뜩 벌려 술을 마셨다."

이렇듯 자기만의 의식을 오래도록 유지하면서 칸트는 나이가 들고 점점 늙어갔다. 남보다 훨씬 튼튼했던 그의 건강도 이제 보통 수준이 되었다. 그는 평생

위통에 시달렸지만 자기만의 적절한 약물치료법이 따로 있었다. 예컨대 아침에 쓴 맛이 나는 술을 몇 모금 마시면 따로 약을 먹지 않아도 괜찮았다. 그리고 이 쓴 맛 나는 액체는 어느새 럼주로 대체되었다. 하지만 "결국 이 럼주 한 잔은 그에게 속쓰림을 더하는 것으로 끝이 났다." 술 한 모금도, 럼주 한 잔도 답이 아니었다. 칸트는 선천적인 위산과다증으로 여러 해 동안 고생했다. 아침 다섯 시부터 밀려오는 속쓰림을 칸트는 속수무책으로 견뎌야만 했고, 덩달아 소화불량도 감내해야 했다. 칸트의 전기 작가들이 지나치게 충성스럽고 세심한 탓에 우리는 그가 변비에 시달렸다는 등의 세세한 일까지 알아버렸다. 프로이드학파라면 재밌어 했을 지도 모른다. 칸트 윤리학의 성립에 있어 괄약근이 모종의 역할을 했을지 모른다고….

사실 칸트는 여러 번에 걸쳐 자기의 선천적 경향을 저서에 상세히 적어놓았다. 전기 작가 중 누군가는 이를 적시한다. "아마 어떤 인간도 자기 몸에 대해, 그리고 몸과 관련한 모든 것에 대해 그렇게 많은 관심을 기울이지 않을 것이다."

『학부들의 논쟁』 어딘가에 건강염려증에 대한 장이 있는데, 거기서 그는 이렇게 고백한다. "나의 납작하고 좁은 가슴이 심장과 폐 운동을 위한 자리를 내어주지 않은 탓에 예전에는 살기 싫을 정도로 건강을 염려했다. 나는 툭하면 건강염려증으로 기울어버리는 타고난 성향을 가지고 있다." 그는 계속해서 말을 이어간다. "나는 늘 숨 막히는 압박감에 시달릴 수밖에 없었다. 왜냐하면 내 몸의 구성에 문제가 있었기 때문이다. 하지만 나는 나의 사유와 행동으로 건강염려증이 내게 미치는 영향을 지배할 수 있었다. 건강을 전혀 염두에 두지 않는 것처럼 나의 관심을 다른 데로 돌려버린 것이다." 칸트는 식습관 쪽으로 관심을 돌린다. 치료술이 질병을 치유하는 기술이라면 식습관은 질병을 예방하는 기술이 된다. 그 책의 어떤 장에는 다음과 같은 기다란 제목이 달려있다.

'인간 존재의 영혼이 자신을 음울한 감정의 주인이라 여기는 단순하고 폐쇄적인 생각으로 인해 발생하는 힘에 대하여'

스스로 건강염려증 환자였다고 밝히는 칸트, 그는

저서 여러 곳에서 건강염려증에 대한 정의를 내린다. 『두통에 관한 에세이』에 그는 이렇게 썼다. "건강염려증 환자는 신경 조직이 몸의 모든 부위를 관통하는 듯한 고통을 느낀다. 이 고통은 주로 우울한 기운을 낳고, 이 기운은 사람 속에 퍼진다. 그렇게 해서 주체는 그가 주워들은 모든 질병이 몸속에 들어 있다고 상상해 버린다." 또 이런 구절도 있다. "자기 자신과 세상에 지쳐버리는 일이 일어난다."

정신질환에 관한 글에서는 건강염려증이 소화기관에 어떻게 안 좋은지를 설명한다. 여기서 우리는 자기 자신을 잊기 위해 식욕을 돋우는 방법들과 삶의 고통을 위로하기 위한 그의 특별한 조치를 이해할 수 있다. 우리에게 정언명령을 제시했던 이 엄격한 스승은 사실 고통을 잊기 위한 방법과 나름의 위안을 찾아다닐 만큼 우울한 건강염려증 환자였던 것이다. 그리하여 그는 마침내 '건강에 이로운 체계'를 구축하기에 이른다. 이 체계의 원칙은 다음과 같다.

당신의 천성을 지배하라. 그렇지 않으면 그것이 당신

을 지배하게 될 것이다.

이외에도 여러 다양한 원칙이 있다. 몸의 온기와 관련해서 칸트는 다리를 차갑게, 머리를 따뜻하게 유지하라고 권한다. 침대는 환자들을 위한 둥지이나 잠은 조금 자는 것을 권한다. 생각은 생각하기에 적절할 때 할 것이며 결코 식탁에서는 하지 말 것, 식사 중에는 위의 활동과 정신의 활동을 일치시킬 것, 감염의 위험을 제거하고 예방하기 위해 입술을 꾹 다물고 호흡할 것 등등… 칸트는 아주 세세한 것들까지 원칙으로 제시했다.

음식과 관련해서는 자신의 식욕을 믿을 것, 식사시간을 규칙적으로 지키고 반복할 것, 국물을 많이 마시지 말 것, 그리고 나이가 들면 장운동과 혈액 순환을 원활히 하기 위해 맛이 강한 음식과 와인 같은 자극적인 음료를 적절하게 섭취할 것, 물을 마시고 싶은 욕구에 즉각적으로 반응하지 말 것, 낮에는 장의 활동을 줄이기 위해 정오에 점심 한 끼만 먹을 것….

"이렇게 점심을 충분히 먹었는데도 병적으로 저녁을

또 먹고 싶은 욕구가 생긴다면 마음을 모질게 먹고 이 감정을 잘 통제할 수 있어야 한다. 하다 보면 점점 그 생각조차 나지 않게 된다." 칸트는 또 이렇게 덧붙인다.

> 식습관의 원리로서 스토아주의('참고 버텨라')는 단지 도덕론으로서의 실천철학일 뿐만 아니라 의학으로서의 실천 철학이기도 하다. 이로 인해 인간에게서 오직 이성의 능력, 즉 자신에게 스스로 부여한 원칙을 통해 감각이 불러일으키는 감정을 다스리는 능력이 삶의 방식을 결정한다는 바로 그 조건 하에서 식생활은 철학적이다.

철학과 화해한 식생활은 이렇게 고귀함의 인증을 얻게 되고 음식은 육체적 지혜의 학문을 위한 논거로 인정된다.

'잘 구워진 항아리처럼 바싹 마르고' 야윈 칸트. 점심에는 달짝지근한 말린 자두와 아주 부드러운 슈크루트를 먹으며 불평을 늘어놓은 다음, 부드럽고 질이 좋은 고기를 오래도록 씹으며 즙을 짜먹는 칸트. 너무

무른 슈크루트를 먹으면서는 불평도 했지만, 작은 스푼을 쓰려고 포크를 쓰지 않는 칸트. 제자인 키제베터Kiesewetter에게 보낸 편지에는 칸트가 직접 주문한 순무에 대한 내용들이 빽빽하게 적혀있었다. 식생활의 지혜 덕택에 칸트는 나이 팔순에 마치 저절로 굴러가는 바퀴처럼 부드럽게 자신의 생애를 마쳤다.

1798년에 그는 다음과 같은 글을 남긴 바 있다.

삶을 연장시키는 기술은 결국 목숨만 유지한 채 버티기만 할 뿐인 삶으로 우리를 이끌 것이다. 이는 확실히 즐거운 일이 못 된다.

칸트는 자기답게 버터 바른 빵을 먹었다. 특히 죽기 얼마 전에는 광적으로 먹었다. 입맛이 변하고 식욕도 사라졌을 테지만, 자기 접시에 음식들이 똑바로 썰려 있지 않으면 그는 이렇게 외쳤을 것이다.

그 모양으로, 정확히 그 모양에 맞춰서….

05
천국의 만찬

푸리에

샤를 푸리에만큼 세상을 바꾸고자 하는 의지를 확고히 드러낸 인물도 드물다. 샤를 푸리에, 유토피아를 꿈꿨던 놀라운 시인. 그의 저서들은 새로운 세상을 향한 계획들로 가득했다. 그의 과업은 우연에 삶을 내맡기지 않고, 전에 없던 삶의 방식을 창조하는 데 있었다. 푸리에가 그렸던 새로운 질서는 배치, 장소, 상황, 수치 그리고 이름까지도 선명하게 제시되어 있다. 적어도 이론상으로는 풍부하고 완전무결한 체계 속에서 자연을 소유하고 자연의 주인이 되려는 데카르트적 계획이 실현되었다.

이 철학자가 제안한 체계를 보면 현실의 그 어떤 사소한 부분도 그냥 지나치는 법이 없다(웃어넘기지 않기를). 기후는 인간의 외형만큼이나 혁신될 것이다. 문명의 단계로부터 조화의 단계로 나아가는 과정에서 구성원의 키는 4미터 60센티가 된다. 몸의 변화와 결부되어 "인간의 평균수명은 144살이 될 것이다." 그리고 별들의 영향을 받아 제 3의 성이 나타난다. 기후 또한 변화를 맞아 추운 기후와 더운 기후가 뒤바뀌고, 계절은 온화해지며 국지적 기후도 이런 변화에 좌우될 것이다.

지리적 특성에 대해서도 푸리에는 대륙이 이동할 거라고 예견했다. 남아메리카 대륙은 더 북쪽으로 이동하고 아프리카 대륙은 좀 더 남쪽으로 이동할 것이다. 이를테면 인간 의지에 복종해 판의 지각변동이 일어난다는 것이다. 도시들도 완전히 뒤바뀔 것이며 인간에게서 뿜어져 나오는 타오르는 열정에 별들도 자리를 옮길 것이다.

이처럼 '우리 종이 다시 살아나는' 시기의 끝 무렵에

다다르면 인간은 기능적으로 완벽하고 정교한 팔다리를 갖추게 될 것이다. 푸리에가 '아키브라archibras'라고 명명한 무쇠팔은 일을 효율적으로 수행하는 근면한 인류를 나타내는 기호이자 장식물이다. 인간의 몸에서 자라난 이 부속물은 코끼리의 코처럼 예민할 뿐만 아니라 심지어 낙하산으로도 사용이 가능하다. 푸리에는 이 새로운 사지를 강력한 힘을 지닌 무기이자 다양한 기능을 정확하게 수행하는 훌륭한 장식이라고 칭했다.

인간관계 역시 그의 몽상적 혁신 논리에서 벗어날 수 없다. 부르주아 커플, 위선적이고 기만적인 결혼, 전통적이고 배타적이고 불완전하며 경제적 생산방식을 바탕으로 하는 성sexualité에 대해 그는 냉소를 퍼붓는다. 푸리에가 말하는 '조화' 단계에서는 성적 관계를 비롯해 여러 인간관계들이 재구성된다. 그의 책 『사랑이 넘치는 신세계』를 보면 특히 성에 관련된 그의 모든 계획들을 만날 수 있다. 일테면 외도한 아내를 둔 남편들에 대해 그는 두서없이 다소 길게 늘어놓는다. 남편들을 76가지 유형으로 나누어(의처증인 남편, 구타당한 남편, 매번 속는 남편, 놀림감이 된 남편, 등등) 하나하나 등급을 매겨가며 문명 안에서 싹튼 사랑의 비열함에 오명을 씌운 것이다. 그는 사람들에게 모든 금기를 깨라고 부추긴다. 그는 어느 정도 적정한 범위 내에서 '인간의 자연적 욕구'인 근친상간 또는 난교파티를 허용해야 한다고 주장한다. 또한 이성 결합만을 인정하는 성적 질서에서 그동안 배제되었던 양성애, 노인애 그리고 소아성애를 제도적으로 인정할 것을 요구한다.

사실 푸리에적인 원리는 증명하기는 어려워도 원리 그 자체는 단순하다. 욕망을 해방시켜라. 충동을 자유로운 흐름에 맡겨라. 상상이 현실을 지배하도록 허하라. 한마디로 현실을 위해 욕망을 품으라는 얘기다. 그는 다음과 같이 썼다.

> 그러므로 발전하는 방법, 즉 열정을 억누르지 않을 방법을 연구하라. 사람들을 억압하기만 하는 이론을 실천하느라 어리석게도 3,000년을 잃어버렸다. 사회적 정책을 완전히 뒤바꿔야 할 시간이다. 이 주제에 관해서만큼은 플라톤이나 카토(Caton, 로마의 정치가)보다 이

열정의 창조자가 무엇을 어떻게 해야 하는지 더 잘 알고 있다. 이제는 이를 인정할 때가 된 것이다. 신은 자신이 만든 모든 것을 잘 쓸 줄 안다. 만일 우리의 열정이 세계의 균형을 어지럽히는 해로운 것이라 믿었다면, 신은 그것을 창조하지 않았을 것이다. 인간 이성이 열정이라는 불굴의 능력을 비판하는 대신 차라리 이 열정이 지닌 '인력引力의 총합'을 연구했더라면 더 현명했을 것이다

여기서 '인력'이라는 개념은 뉴턴의 물리학에서 빌려온 것으로 푸리에는 이 '인력' 이론을 인간이 따르는 '신의 추진력'으로 받아들여, 현실을 설명하는 이론으로 여겼다.

푸리에가 꿈꿨던 새로운 질서란 다름 아닌 조화였다. 그것은 구성원들 간의 질서이자 여러 요소들이 결합된 질서이며 문명과는 대비되는 것이었다. 문명국에서 조화국으로 이행하는 과정에서 세상은 봉건주의와 사회주의라는 사회 체제를 거치게 된다. 이렇게 문명→봉건주의→사회주의→조화로 이어지는 일련의

상승은 35,000년 동안 이어지고, 이후 8,000년에 걸쳐 대전환기가 펼쳐진다. 창세기조차 순수 완전체라는 특성을 부여받은 이 신학적 에덴동산에는 감히 이르지 못했다. 이러한 이상적 미래 체계 속에서 미식은 아주 특별한 능력을 갖게 된다.

푸리에는 남녀노소 불문하고 모든 사회 구성원들이 공통적으로 지니고 있는 미식의 열정에 대처하고, 조직적으로 탐식을 관리해야 한다고 제안했다. 자신의 저서인 『보편적 통일 이론』에서 푸리에는 '스파르타인들이 먹던 단순하고 거무스름한 죽을 권하던 철학자도, 강론 중에 식탁의 쾌락을 맹렬히 비난하던 고위 성직자도' 미식의 욕망에 지배당한다고 썼다. 이런 예들이 즉흥적이고 부적절하다는 점은 차치하고, 조화를 주창한 이 이론가는 사회적 조건에 따라 이 쾌락이 고려되길 원했고 더 나아가 쾌락이 주는 궁극적 효과를 통해 미식을 합리화시킨다. 페이지를 넘겨가며 이런 내용들을 읽다보면, 어떤 논리가 절정으로 치닫게 되면 어떻게 비합리적인 결론을 낳게 되는지를 알 수 있다. 그리고 그 비합리적 결론은 다시 한 편의 시가 되어 우리를 매혹시킨다. 우리는 이처럼 예상치 못한 결과가 뒤따르는 별난 연금술을 목격하게 된다. 식생활의 개선이라는 궁극적인 목표를 위해 구체적인 수치, 생소한 용어, 낯선 논리의 사유를 동반한 최고의 망상보다 더 신나는 이론이 또 있을까.

이 건강에 관한 새로운 지혜는 새로운 질서가 식료품을 무제한 제공하므로, 그것을 소비할 만큼 충분히 사람들의 식욕을 고양시키고자 한다. 이 지혜는 건강과 활력을 증진시키는 기술이다. 문명국을 품귀, 결핍, 부족의 경제라 특징지을 수 있다면, 조화국은 잉여, 초과, 풍요의 경제다. 사회적 필요를 충족시킬 수 있는 생산이 계속 이루어져 모두가 넉넉해지고 궁핍은 사라진다.

문명국의 생산을 지배하는 논리는 의도적으로 현실을 외면한다. 얼마나 많이, 얼마나 질 좋게 생산하건 의도적으로 수요를 무시하는 것이다. 따라서 근대인들은 결국 부적절한 공급과 불충분한 수요 사이에 파인 깊은 골만 확인하게 될 뿐이다. 조화국에 사는 사람들은 바로 그 지점에서 무엇을 선택해야 할지만 결정하면 된다. "과잉생산은 오늘날의 빈곤과 마찬가지로 정기적으로 일어나는 참사가 될 것이다." 그래서 "잉여생산물을 확실히 다 소비하려면 기질에 따라 개인들이 무엇을 어떻게 먹는 것이 적절한지 그 세부사항을 상세히 밝혀야 한다. 이 이론은 화학, 농학, 의학, 식품조리학, 이렇게 네 가지 학문의 융합을 필요로 한다." 물론 이러한 생산 경영은 아주 특별한 범주에 속하는 학자가 담당해야 할 것이다. 그가 바로 미식철학자다.

미식철학자는 무엇보다 나이든 사람이어야 한다. 팔순을 넘어야 하고, 이미 자신의 학문 분야에서 여러 차례 탁월함이 입증된 인물이다. 영양학자이면서 농부, 의사, 현인, 노련한 미식가 역할을 모두 수행할 수 있는 이 미식철학자는 식생활을 결정하는 미식 위원회를 열어 먹거리를 선정한다. "미식철학자는 (…) 먹는 즐거움으로 건강을 지켜주는 개개인의 공식적인 주치의가 된다. 각 팔랑주(Phalange; 푸리에가 주창한 노동자 공동체)에 사는 사람들은 이제 막대한 소비와 식욕으로 자신의 자존심을 드러내야 하기 때문에 어떻게 먹어야 하는지 알고 있는 미식철학자를 찾아간다."

이 현자들은 잉여생산물을 관리하는 한편, 사람들을 행복하게 만드는 원리에 따라 구성원들의 먹거리도 관리한다. 음식은 물론 먹음직스러워야 하고 담백해야 하며 욕망이 원활하게 순환하도록 유지시켜 줘야 한다. 건강과 쾌락은 미식철학자의 활동이 추구하는 두 가지 목적이다. 이들은 분별력 있게 개인들의 기질에 맞는 음식들을 조화롭게 맞추어 준다.

그럼 이제 연령 상 노인과 반대되는 어린 아이들을 살펴보자. 푸리에는 잠시도 가만있지 못하는 아이들을 어떻게 돌봐야 하는 지에 대해 많은 관심을 기울였다. 그는 아이들이 끊임없이 먹을 것을 찾는다는 것을 알기에 아주 어릴 때부터 욕망의 교육학을 심어줘야 한다고 보았다. 유토피아주의자들에게는 아이들의 행동에 일찌감치 중심을 잡아줄 수 있도록 어릴 때부터 따라야 할 '의식'을 결정해서 이를 습관적으로 심어주는 것이 중요하다. 이를 위해 그는 어린이들의 교육을 책임지는 사람들에게 이렇게 질문한다.

아이들을 지배하는 열정은 무엇일까요? 우정일까요, 아니면 명예일까요? 아니죠. 그것은 맛있는 음식을 먹는 것입니다. 물론 어린 소녀들의 경우 미식에 대한 열정이 약해 보일 수도 있습니다. 그건 문명국이 소녀들에게 나이와 성에 적합한 음식을 제공해주지 않기 때문입니다. 백 명의 어린 소녀들이 어떤 성향을 지녔는지 관찰해 보세요. 소녀들은 위장을 신으로 여깁니다. 이 점에 있어서는 수많은 아버지들이 아이들의 경쟁자이지요. 만일 조화국이 아이들을 위해 '미식 의식'을 준비한다면, 아버지들은 쌍수를 들고 환영할 겁니다. 그리고 아버지들은 아이들 없이, 아이들이 있으면 할 수 없는 미식 의식, 즉 사랑의 의식을 거행할 겁니다.

미식은 사회 구성원들을 스스로 움직이게 하는 중추 역할을 한다. 문명국과 그들의 설익은 과일들에 대항해 푸리에는 단 맛을 승인한다. 문명국이 결핍을 나타낸다면, 그것은 신맛이 나는 결핍이다. 그러나 조화국은 문명국과 반대로 달콤한 풍요로움일 것이다. 이쯤 되면 인간 세상의 일을 다 마친 뒤 끝없이 펼쳐진 바다를 레모네이드로 가득 채우려는 푸리에의 계획도 슬슬 납득이 된다. 세상의 조화를 이루는 진리는 시럽처럼 달콤하다. "새롭게 짜인 질서 속에서는 아이들에게 아주 좋은 잼, 설탕을 넣은 크림과 레모네이드를 제공함으로써 싸구려 식품으로 배를 채운 아이들의 영양을 보충할 것이다."

'미식을 통한 개혁'의 원리는 다음과 같이 표현된다. "설탕을 넣은 과일은 조화국의 빵이다. 민중이 부유하고 행복에 이르도록 이것이 그들의 기본적인 먹거리가 되어야 한다." 천사 같은 아이들은 지구의 두 경작지에서 수확한 설탕과 과일을 골고루 배합해 맛의 조화를 이룬 콤포트와 잼을 먹고 튼튼하게 자라야 한다. 또한 아이들은 아주 체계적이고 합리적으로 음식에 대한 교육을 받게 될 것이다. 어릴 적부터 아이들은 '요리를 준비하기 위한 미식 토론'에 참여하게 된다. 실천과 이론을 겸비하기 위해 시식은 필수다. 푸리에는 다음과 같이 썼다.

우선 아이들이 딴 짓을 하지 못하게 만드는 것만으로

도 충분할 것이다. 그 다음 맛있는 것을 먹는 쪽으로 아이들의 관심을 이끈다. 그리고 맛의 미묘한 차이가 어떻게 생겨나는지, 그 신비로운 과정에 관심을 갖게 만든다. 일단 이런 경험을 하면 아이들은 자연스레 주방의 일원이 된다. 그 신비스러운 기술이 음식을 준비하고 먹는 데 사용되는 만큼, 이 기술로 아이들의 관심은 음식의 재료가 되는 동식물의 생산영역으로도 자연스레 확장될 것이다. 이제 막 피어나는 지식과 주장을 바탕으로 아이는 주방에서처럼 책상에서도 요리를 하게 될 것이다. 이렇게 사람의 일은 자연스럽게 연쇄적으로 연결된다.

그리하여 아이들은 점차 미식철학이라는 이 새로운 학문의 모든 부분들을 접하게 될 것이다. 이 새로운 교육방법을 통해 "조화국에서 자란 열 살의 아이는 파리의 미식 대가에게도 한 수 가르침을 전수해 줄 수 있을 만큼 완벽한 미식가가 된다."

푸리에는 문명국에서 일약 미식 전문가로 통하는 사람들을 신뢰하지 않았다. 그는 도시에서 통용되는 미식의 기준을 거부한다. 대도시의 자칭 미식 전문가들이란 막상 그들이 제공하는 학문의 첫 번째 요소조차 전혀 알지 못하는 미숙아일 뿐이다. 조화국의 공동체 질서에는 특권에 집착하는 지배계급 따윈 없다. 이 사회 안에서는 엘리트가 미식에 대한 지식을 독점하지 않고, 요리 또한 민주적이다. 따라서 요리를 지혜롭고 아름답게 만드는 과정은 거의 모든 이들의 학문이 된다.

아이들의 교육 원리인 미식은 어른의 삶에서도 사회의 경제 일반을 구성하는 주요한 요소가 된다. 미식이 사회를 이끄는 중추 학문이라는 고귀한 대열에 합류하는 것이다.

"사회 체계 안에서 미식은 지식의 원천이자 빛이며 사회적 합의의 원천이다." 미식은 또한 "사람들의 열정에 균형을 잡아주는 주요한 원동력이다."

푸리에주의자들은 미식의 사회적 지배를 정당화하기 위해 심지어 종교적으로 승화하는 기술까지 선보인다. 맛있는 음식을 먹고 기뻐하는 감정을 사회적으로 적절히 사용하는 것은 사회 체계를 구성하는데 아주 효과적이다. 대중에게 이것을 확실하게 전달하고자 이 철학자가 선택한 방법은 '미식의 정교함에 종교적 체계를 적극적으로 적용'하는 것이다. 푸리에는 종교적인 메타포를 활용하여 미식적 교리 개념을 창안해낸 뒤 이를 '위대한 신성'이라 불렀다. '위대한 신성'이라는 자격은 개인의 기질에 따라 음식을 적절하게 선정하는 능력을 미식 위원회 측에 성공적으로 증명해보일 만큼 유능한 자만이 부여받을 수 있다. 푸리에식 용어로 말하자면 주요성인聖人들은 '재료가 낼 수 있는 최선의 요리방식을 결정하는' 임무를 맡는다. 이 비범한 능력으로 그들은 사람들의 선천적 기질에 따라 어떻게 계란을 요리해야 할지, 어떤 맛의 소스를 바를 것인지, 무엇을 곁들여 먹을지를 분석하고 연구한다. 마찬가지로 버섯의 사용이나 혹은 딸기와 크림의 조화 같은 문제도 그들의 통찰력에 따라 결정된다. 샤를 푸리에는 분명 자신의 의도를 정확히 알리기 위해 이런 말을 남겼다.

예를 들어 크림에 딸기를 언제 넣어야 할지 결정하기 위해서 쟁쟁한 경쟁자들 사이에 토론이 벌어진다. 이들은 이러저러한 체질에 적합한 것으로 이러 저러한 조리법을 제안한다. 그리고 이들은 실제로 그에 따라 음식을 조리 해본 대중들의 경험을 통해 어떤 조리법이 올바른 것이라고 증명한다. 나는 여기서 위원회가 토론에서 따르는 방법이나 이 경쟁자들이 토론하는 방식을 기술하는 데만 머물지는 않을 것이다. 가장 단순한 방법은 이것이다. 각 소용돌이[15] 별로 이 이상한 배합을 가장 잘 소화시키는 사람이 어느 그룹에 속하는지 관찰해 보는 것이다. 그 그룹이 바로 크림을 얹은 딸기 요리를 할 때 기준이 되는 기질을 나타낸다.

미식위원회는 이런 식으로 몇몇 음식에 대해 정통 음식이라는 자격을 부여한다. 어떤 미식철학자에게 음식의 적절한 배합을 결정할 자격이 부여된다는 것

15 푸리에는 팔랑주라는 용어를 사용하기 전 조화국의 공동체 단위를 이렇게 부르기도 했다. 팔랑주 또는 소용돌이는 개인이 지닌 열정의 종류에 따라 여러 그룹으로 나뉜다. 그룹의 연합체가 팔랑주이다.

은 지극히 명예로운 일이다. 미식철학자에게도 위계 질서가 있다. 이 성인들은 세 범주로 구별된다.

"전문 이론가, 즉 예언가적 성인은 가능한 모든 상황에서 각 기질 별로 어떤 음식을 함께 먹어야 할지 판단한다." 다음으로 "실제 요리사, 즉 생산자적 성인은 미식위원회의가 선포한 결정대로 엄격하게 준수하며 요리를 능숙하게 만드는 인물이다.", 끝으로 "박식한 성인은 이러저러한 음식의 효능에 대해 자문해주는 전문가이자 비평가이다."

모든 종교에는 분열이 발생하고, 교리에도 이단이 생겨나기 마련이다. 그러나 푸리에의 미식 종교계에서는 이러한 분열이 싹부터 도려내진다. 사실 이런 분열은 말싸움 때문에, 혹은 교리에 따른 결과가 교리와 달라서 발생하는데, 교리에 따라 음식을 먹은 사람들의 증언은 이 미식철학이 충분히 적절하다는 근거를 제공한다. 다만 푸리에는 지리적 여건에 따라 정통음식이 아닌 자기들 방식대로 음식을 요리하는 지방의 경우 이단이 있을 수 있다는 것도 유감없이 인정한다. 그만큼 푸리에의 조화국은 자유를 존중하므로 그러한 이단도 얼마든지 미식의 진리와 공존할 수 있다. 실로 음식에 관한 종교통합운동이 아닐 수 없다.

이처럼 미식위원회는 자유를 인정하지만 경우에 따라서는 전쟁과 전투도 불사한다. '신학자'이자 전략가인 푸리에는 미식이란 것이 여러 가지 다양한 방법을 수반한 전략이라는 것을 잘 알고 있었다. 푸리에식 전쟁학은 음식 전쟁이다. 여기서 전투란 무엇이 '우수한 맛'인지를 결정하는 싸움이다. 이 철학자는 특히 미를리통[16], 작은 파이, 볼오방 그리고 호박에 집착했다. 그는 호박을 유독 싫어했고, 제대로 구워 내지 못한 빵은 더더욱 싫어했다. 그런 빵으로 만든 파이는 물컹거리기 때문이다.

『산업적·협동사회적 신세계』라는 책에 그는 이렇게 썼다. "파리지앵이 미식의 파괴자가 아니라면 그들 중 대다수가 음식을 충분히 더 익혀달라고 요구했을 것이며, 또 이런 음식으로 돈을 버는 부적절한 짓에 항의했을 것이다. 그러나 그들은 영국 스타일이라는 이유

16 mirliton, 차요테라 불리는 멕시코 채소로 알려져 있다. 박과의 1년생 채소로 열대 중앙아메리카가 원산지

로 오히려 이런 음식이 좋은 음식이라며 사람들을 호도한다." 영국식을 혐오했던 푸리에는 사람들이 '반쯤 익힌 고기를, 집기도 힘든 영국식 포크로' 먹는 방식을 비판한다. 또한 그는 '천박한' 차茶가 국가의 먹을거리를 밀어낸 것에 격분했다.

"영국에서는 엄청난 비용을 들여야만 좋은 와인과 좋은 과일을 구할 수 있다. 그래서 와인이나 과일 대신 어쩔 수 없이 차라는 마약을 받아들인 것이다. 그런 줄도 모르고, 쯧쯧."

푸리에는 불만이었다. 문명국에서는 다들 비슷하게 서로를 모방한 요리를 먹는다. 그러면서 유행에 희생되고 시대의 관념에 희생된다. 건강관리, 음식이 주는 쾌락, 정신적 효능과 같은 본질적인 것은 망각된다. 가장 분별력 있는 판단이 필요한 곳에서 오히려 속임수가 판을 쳤던 것이다. 이 철학자는 당대의 식습관을 거세게 비판했다. 그는 앵글로 색슨족을 향해 불같이 비난을 퍼부은 다음 버미첼리를 들먹이며 이탈리아인들을 공격한다. 그는 버미첼리를 '역한 맛이 나는 풀떼기' 일 뿐이라며 이런 풀떼기가 유행을 타고 있다는 것에 한탄을 금치 못했다.

결국 파리지앵들이 죄인이다. 그들이 문명을 타락시켰다. 그들은 외국에서 들여온 요리에 적응한 나머지 식재료들을 마구잡이로 뒤섞는다. 또 적법한 절차 없이 도축 시장에서 강매되는 육류를 먹는다. 농부들은 더 이상 가축을 키우거나 건강한 채소를 가꿀 줄도 모른다. 거기엔 '조화국에서 자란 다섯 살짜리 어린아이가 자칭 파리의 미식가라는 작자의 저녁식사에서 오십 가지 충격적인 오류를 발견하는' 것과 같은 모종의 미개함이 있다.

조화국의 협동사회에서는 이런 종류의 오류가 있을 수가 없다. 이 사회에서는 어떤 음식이 채택되려면 미식적으로 인정받아야 하거나 음식 전쟁을 치러야 한다. 푸리에는 이 특별한 전투에서 빚어지는 세세한 내용들까지 다 알려 준다. 이 전투의 목표는 "여러 다양한 요리들 가운데 가장 완벽한 요리를 최소한으로 선발하는 것이다." 이 전투는 전국적으로 추진되고, 전투를 통해 최고중의 최고를 선발하게 된다. "열을 가해 부풀린 오믈렛이나 달걀 거품으로 만든 오믈렛에도 전국적으로 이름난 것들이 있다." 여러 팀들은 요리를 만들고 심사위원들은 이것을 평가한다. 이 음식 전쟁에 오르는 요리는 '작은 파이, 여러 재료로 만든 오믈렛, 설탕을 넣은 크림'이다.

"화덕에 불이 지펴진 주방에서는 국가적 명품 요리로 결정될 후보작들만 요리된다. 온전한 고독 속에서 극도의 세심함을 기울여 하나의 요리에 모든 노력을 바친다."

이후 등장할지 모를 비판에 대비해 푸리에는 문제가 될 전쟁 원칙들을 이렇게 옹호한다.

"사람들은 이 전투가 유치하다고 할 것이다. 고작 설탕 넣은 크림이나 작은 파이로 싸운다고. 이 싸움은 성찬의 빵과 포도주가 예수의 살과 피로 변하느냐 아니냐를 걸고 싸운 종교전쟁만큼 우스꽝스러운 것이라고." 하지만 자기 확신으로 똘똘 뭉친 푸리에는 좀 더 세세하게 자기주장을 펼친다. 이 음식전쟁을 통해 우리는 조화국 거주자를 위한 최선의 건강관리법을 정할 수 있다. 완벽함을 만들고, 완벽함을 유지할 수 있는 완벽한 방법을 찾아야 한다.

전쟁의 제 1라운드는 흔한 요리로 치러진다. 놀랄 것 없다. 비장의 무기는 끝까지 간직해 두었다가 최후의 순간에 꺼내드는 법. 사람들로부터 호평을 받게 될 결정적 한 방은 마지막 순간에 등장할 것이다.

이제 시식이 시작되고 전투는 격렬해진다. 조화국의 수장은 전쟁의 양상에 따라 각 팀에 점수를 매기며 수를 센다. '티그르 지역에서 난 스파클링 와인 십만 병, 새로운 방법으로 키운 가금류 찜 요리 사만 개, 수플레 오믈렛 사만 개, 태국과 필라델피아 회의에서 결정한 배합 순서로 만든 펀치punch 십만 잔.' 푸리에는 다른 지면에서 삼십만 병의 뚜껑을 동시에 딸 때 나는 소리를 소개하고, 그 자리에서 사용된 접시의 숫자까지 센다. 하지만 사실상 전투의 승패를 결정짓는 것은 작은 파이들이다. 이를테면 비장의 무기인 셈이다. 전쟁의 마지막 라운드에서 백육십만 가지의 작은 파이들이 만들어진다. 푸리에는 어떤 이유로 이 특별한 요리를 골랐는지 털어놓는다.

내가 이 요리를 고른 것은 문명국 사람들이 이런 종류

의 요리를 진짜 못 만들기 때문이다. 그 무능함을 비난하고 싶어 이 요리를 고른 것이다. 나는 작은 파이를 정말 좋아한다. 단지 소화가 잘 안돼서 절제할 뿐이다. 만일 요리사들이 다양한 체질을 고려해서 파이를 만들 줄 알았다면, 그래서 모든 사람의 위장에 좋은 향신료와 식초를 넣어 파이를 만들었다면 이런 일은 없었을 것이다. 조화국의 음식 전쟁은 바로 여기서 시작된다. 따라서 전투에 임하는 병사들은 누가 가장 좋은 파이를 만들 것인지를 놓고 싸움을 벌일 것이다. 누가 과연 열두 종류의 기질과 치아에 적합하도록 가장 조화로운 파이를 구성할 것이며, 누가 과연 파이에 소화가 잘 되는 재료를 얹어 가장 소화하기 편한 파이를 만들 것인가?

이렇게 파이 대전을 치르고 나면 마침내 전쟁의 승패가 결정 난다. 그런데 이 대전의 끝에서 돌연 항복을 선언하는 일들이 발생한다.

우리 마음은 이 전쟁 중에 탄생한 작은 파이들의 구성에 이미 감동한다. 게다가 파이와 곁들일 와인의 선별

까지 모든 것이 훌륭하다. 이처럼 새롭게 탄생한 훌륭한 요리에 모두가 만족하고, 참전한 군인들도 감격하고 만다. 예언가들조차 만족스러운 표정을 숨기기 어렵다. 사람들은 집에 돌아가기 전에 이미 먹은 것이 소화되어 좀 더 먹을 수 있을 것 같다고 말한다.

푸리에적 건강관리의 핵심 기준은 바로 소화 가능성이다. 문명국에서 소화불량이란 모든 식사 후에 어김없이 마주치는 결론이다. 조화국은 다르다. 조화국의 식탁에는 여러 가지 요리가 올라온다. 기질에 맞춰 음식을 내놓기 때문이다. 음식의 맛은 질적인 면에 달려있을 뿐 양과는 관련이 없다. 물론 양을 줄이면 질적으로 다양한 맛을 풍부하게 느낄 수 있다.

훌륭한 요리와 훌륭한 와인을 즐기고 나서 배가 부르다는 이유로 다음 식사시간이 늦춰지는 법은 없다. 소화를 촉진시켜 다음 식사에 대한 욕구를 앞당기는 요리가 훌륭한 요리다.

레몽 크노[17]를 찬양하며 '수數의 시학'을 추구했던 푸리에. 그는 미식을 위한 시간표를 짜기 위해 하루를 규칙적으로 나누었다. 식사는 두 시간을 넘지 않되 하루를 다섯 단위로 나눈다. 아침, 점심, 저녁, 간식, 밤참. 각 식사시간 사이에 막간 시간과 간식 시간이 있어서 총 세 구간으로 나뉜다. 막간 시간과 간식 시간은 각각 오 분을 넘겨서는 안 된다. 그리고 둘 사이에는 한 시간 반의 간격이 있다. 인접한 모든 식사시간이 왕성한 식욕 덕분에 사뭇 기다려진다.

푸리에적 의지는 영원 회귀 속에서도 욕망을 유지시키는 데 있었다. 그것을 추진 원리로 삼아 쾌락을 적절히 추구해야 한다. 푸리에는 『사랑이 넘치는 신세계』에서 다음과 같은 예를 든다.

서약으로 맺어진 친구, 즉 다정한 부부에 대해 어떻게 생각하는가? 누군가는 우리에게 말할 것이다. '부인과

17 레몽 크노Raymond Queneau; 20세기 프랑스 문단의 거장. 초현실주의자이자 수학자, 편집자, 영화감독, 소설가. 그의 소설 [지하철 소녀 쟈지]는 루이 말 감독의 영화로도 잘 알려져 있다.

뜨거운 하룻밤을 보냈더니 완전히 기진맥진해 버렸어. 적어도 일주일은 쉬어야 할 것 같아.' 그런 그에게 우린 이렇게 말할 수 있다. 쾌락을 한 번에 다 써버리지 말고 나머지 일주일을 위해 남겨뒀으면 좋았을 걸. 아무 일도 일어나지 않을 그 일주일을 위해서.

이성적으로 쾌락을 잘 활용하는 것이 곧 지혜다.

요리의 조합만큼 함께 밥을 먹는 이들의 조합도 중요하다. 푸리에는 한 끼 식사야말로 타인과 어울리는 기회이자 즐거운 만남의 장이라고 했다. 그는 어느 책에서 '함께 먹는 사람들을 적절히 어울리게 하는 기술, 우연히 모였어도 맛있는 식사 모임에 계속 흥미를 가질 수 있도록 하는 기술'을 설명했다. 마비 상태에 빠지기 십상인 토론은 결코 사람들을 아우를 수 없다. 테이블에서 벌어지는 일 중에 그만큼 어리석은 것도 없다. 그런 지루함을 피하고자 푸리에는 다양한 의미를 질서 있게 결합한다. 그는 '일시적인 사랑을 위한 식사, 가족끼리의 식사, 동업자와의 식사, 우정을 위한 식사, 외국인들과의 식사 등'을 계속 이어간다. 뿐만 아니라 산토리오(Santorio Santorio 체온계, 맥박계, 습도계를 만든 16세기 이탈리아 의사)의 책이 아주 유용하다고 여겼던 이 철학자는 그를 인용하여 이렇게 말한다. "적절한 성교는 마음을 후련하게 하고 소화에 도움을 준다." 그러니까 식욕을 돋우기 위해서라도 여성들을 식사에 초대해야 한다….

이 모든 것이 예방적 차원의 건강관리에 기여한다. 이런 약물 치료가 있다면 아픈 사람이 어디 있겠는가? 물론 까다로운 성격 탓에 조화국이 추구하는 쾌락에 무감한 사람들도 없진 않을 것이다. 푸리에의 약국이 그런 사람들을 외면할 리 없다. 사람들이 자발적으로 찾아 먹을 수 있게끔 음식으로 약을 만들어 구미를 당겨야 한다. 약을 먹게 하기 위해 맛있는 것을 넣는 게 우선이다. 문명국의 의사들과 달리 이 사상가는 '약간의 잼, 정제된 술 그리고 단 것과 브랜디 한 스푼으로 환자를 치유하는 기술'이 만들어지길, 그렇게 새로운 지혜가 실현되길 바란다. 이 모든 것들로 수많은 배합을 만들어낼 수 있다. 맛의 치료법은 '오래된 와인 한

병에 설탕을 넣고 끓여서 마신 다음 푹 자는 것'으로 감기를 치료했던 옛 민간요법을 토대로 한다. 이 치료법은 쾌락과 치유를 확실히 연결시켜 '병을 다스리는 치료법에 관한 이론'을 만들 것이다. 이 치료법에는 기본적으로 잼, 포도, 레네트reinette 품종의 사과 그리고 좋은 와인이 쓰일 것이다. 이 과일들 안에 우주의 심층에서 기원하는 작용들이 깃들어 있고, 우리가 그것을 발견 할 수 있다면 이 과일들의 훌륭함은 이루 말할 수 없을 것이다.

푸리에의 음식학적 점성술은 그의 전집에 실린 작품들 중에서도 가장 충격적인 부분들로 꼽힌다. 『우주적 통일이론』이라는 책의 한 장은 「온대지방 과일들에 영향을 미치는 항성들의 변화」에 지면을 할애하고 있다. 협동사회는 기후를 조절할 수 있다. 그러니 별들을 이동시켜 생산성을 조절하는 것도 어렵지 않을 것이다. 이렇게 쓰고 나서 푸리에는 별들의 짝짓기 이론을 펼친다. 여기서부터는 푸리에식 언어를 이해하기 위해서 각별한 노력을 기울여야만 한다. 메인 옥타브로 상위 음역대에 있는 과일, 즉 배는 토성과 해왕성의 위성인 프로테우스의 결합으로 창조된다. 적색 과일은 하위 음역대에서 지구와 금성의 결합으로 만들어진다. 살구와 자두는 천왕성이 화성과 목성 사이에 있는 소행성 사포와 결합하여 생겨난다. 하위 음역대의 사과는 목성과 화성의 결합으로 생겨난다. 많은 과일들이 태양에서 생성되며 복숭아는 수성이라는 순결한 별에서 나온다. 푸리에는 과일의 계보학을 고찰한 뒤 한 걸음 더 들어가 다음과 같이 주장한다.

> 남성성을 나타내는 행성들은 자웅동체인 식물처럼 자기 자신과 결합하기도 하고 다른 행성들과도 결합한다. 지구 역시 자기 자신과 교접한다. 이 교접을 통해 북극을 향하는 남성성과 남극을 향하는 여성성이 각기 특유의 향기들로 뒤섞여 적색 과일의 기원이 되는 버찌가 생겨나게 될 것이다.

이어서 까치밥나무 열매, 앵두, 오디, 딸기, 포도가 어떻게 생겨나는지에 대한 설명이 이어진다. 이 유토피아 사상가는 시적으로 음식의 역사를 표현하는데 이 신화적 이야기들을 다시 별들의 인력을 설명하는데 적용 한다. 이런 식으로 마침내 기묘한 합리성을 갖춘 신비주의가 탄생한다. 과일은 자연의 역사, 상징의 역사, 미래주의의 역사 그리고 수사학의 역사를 대변한다. 푸리에의 시학에 관해 롤랑 바르트는 결정적인 말을 남겼다.

"기호의 역사에 비춰볼 때 푸리에식 언어 구성은 바로크적인 의미론, 다시 말해 기표의 증식에 열려있는 의미론에 정당성을 부여한다. 기표는 무한히 증식한다. 다만 구조화되어."

블랙베리는 그것의 검은 색, 가시줄기, 색조와 착색의 논리로부터 디오니소스적인 새싹으로 이어지는 서정적인 담론을 통해 단순하고 순수한 도덕의 상징이 된다. 그러나 붉은 색을 흡수한 산딸기는 가짜 도덕을 상징하는데 가시도 없고 알갱이로 나뉘어져 벌레들이 매우 좋아한다. 그 다음은 버찌, 딸기 등등으로 이어지는데…

샤를 푸리에를 이쯤에서 우주의 소음 속으로 떠나

보내는 것이 좋겠다.[18] 미완의 사유로. 항상 콩을 기피했던 피타고라스의 동행으로 말이다. 그 속에서 가을 분위기를 자아내는 부드러운 노래가 메아리처럼 울려 퍼진다. 자신을 비추는 거울들 사이에서 길을 잃고, 조화국에 나올 음식에 대한 기분 좋은 망상에 자신을 바쳐버린 한 유토피아주의자의 노래. 아니면, 별들의 노래인가? 『맛의 생리학』을 쓴 작가, 브리야사바랭Brillat-Savarin의 매형이었던 이 철학자는 우리에게 말한다. 시학의 진리는 논증으로 고통 받지 않는다는 것을. 반론의 여지가 없다는 것이 바로 시학의 양식인 것이다.

18 피타고라스는 콩을 기피했는데 그의 죽음에 직간접적으로 콩이 얽혀있다는 것 외에 정확히 알려진 바는 없다. 피타고라스는 우주를 아름다운 조화를 구현하고 있다고 생각했으며 조화의 비밀이 '수'에 있다고 생각했던 철학자다. 피타고라스의 우주는 천체가 떨어져 있는 간격에 따라 조화로운 울림을 자아내어 아름다운 음악을 연주한다. 우주론까지 상상의 나래를 펼친 푸리에의 이야기는 피타고라스를 떠올리며 마무리하고 있다.

06

반기독교적 소시지

니체

『이 사람을 보라』에서 우리는 음식을 예술로 대하라는 니체의 권유를 접하게 된다. 그는 적어도 음식에 시학의 덕목을 갖추라고 요구한다. 음식에 관한 극단적인 주장이 담긴 학문이라면 푸리에의 미식철학과도 관련이 전혀 없지 않을 것이다. 푸리에의 미식철학에서 음식의 맛은 현실의 문제를 해결하고 삶의 체계를 구성하는 임무를 담당했다. 음식, 장소, 기후, 휴식에 관한 관심, 즉 '자기 배려' 행위를 니체는 '자기보존의 본능'이라 불렀다. 자기 배려에 대한 이런 관심들이 결국 삶을 예술 작품으로 만든다. 다음과 같은 지령 속에 우리가 능동적으로 추구할 '즐거운 지식'의 핵심적인 주장이 담겨 있다.

> 자기 삶의 시인이 되어라. 가장 먼저 구체적인 식단 안에서, 그리고 가장 빤한 것 속에서.

식생활은 자신의 삶을 구축하는 데 중요한 계기를 마련해준다. 니체는 우선 자기 자신과 가장 가까운 문제들에, 오로지 자기 삶에 집중하는 데 관심을 둔다.

> 인류의 구원이란, 이 문제와 오래 씨름해 온 신학자의 빛바랜 능숙함에 달려 있지 않다. 그것은 바로 무엇을 먹느냐에 달려 있다. 이 문제를 좀 더 분명하게 다루기 위해 표현을 이렇게 바꿔볼 수 있다. 너는 네가 가진 최상의 힘에 도달하기 위해, 말하자면 르네상스적 의미의 덕virtù, 도덕과 무관한 덕의 최고치에 이르기 위해서 너는 무엇을 먹어야만 하는가?

니체의 새로운 관점은 우리의 식생활을 삶의 기술이자 실제적인 효력을 지닌 실존철학으로 만든다. 니체는 사상이나 저작물을 생산하는 데 결정적인 역할을 하는 것은 바로 육체라는 점을 누구보다 열렬히 주장했다. 일찍이 그는 인간 생리와 사유 사이의 연관성을 이렇게 밝혔다.

> 객관성, 관념, 순수 지성의 가면을 쓴 생리적 욕구의 무의식적인 왜곡은 놀랄 만큼 확대재생산 되고 있다. 대체로 지금까지의 철학은 전적으로 몸에 대한 해석과 오해로 구성되어있는 것은 아닌지 나 스스로에게 묻곤 했다.

육체의 부산물로써의 형이상학.

몸을 깨끗이 정화하라는 니체의 주장은 플로티누스[19]식 금욕을 환기시킨다. 그러나 디오니소스의 충실한 추종자에게 더욱 중요한 것은 마치 춤을 권하는 것처럼 가

19 고대 그리스 후기 철학자. 육체는 영혼의 감옥일 뿐이므로, 지혜를 얻기 위해서는 인간은 자기 육체를 희생시켜서라도 영혼에 주의를 기울여야 한다고 주장했으며 이후 신플라톤주의의 창시자로 불린다.

벼움을 실어 나르는 요소들에 몸을 익숙하게 만드는 것이다. 그러나 이 디오니소스 추종자에게도 아폴론은 나름 의미를 지니고 있는데, 음식에 관한 관심이야말로 다분히 아폴론적이기 때문이다. 이 관심은 자기 자신을 조각하는 기술이며 자기를 조형하는 힘을 지닌 기술이자 철저히 계산된 조절의 기술이다. 아폴론적 음식학은 우리가 즐거움을 원할 때 균형을 유지하도록 돕고 자신의 육체적 에너지를 조절하면서 즐거움을 보조하는 절묘한 힘의 변증법이라 할 수 있다.

디오니소스주의는 우리 자신을 변화시키는 강력한 연금술이다. 디오니소스주의와 더불어 "인간은 더 이상 예술가가 아니라 인간 그 자체가 예술작품이 된다." 음식학은 초월적인 세계의 문제가 아니라 몸이 살고 있는 이 내재적 세계를 설명하는 형이상학이자 실천적 무신론이 된다. 육체는 이제 지식의 새로운 미학을 위해 나선다. 니체적 미식철학은 이 새로운 대륙을 향한 통로가 될 것이다.

『즐거운 지식』에서 니체는 도덕적 문제를 심각하게 궁리하는 사상가들이 과연 제대로 탐구하고 있는 것인지 묻는다.

"지금껏 존재에 색채를 부여하는 그 어떤 것도 제대로 거론되지 못했다."

사랑도, 탐욕이나 시샘도, 양심과 신앙심, 잔인함, 법과 처벌도, 우리의 일상을 배분배하는 방식이나 시간을 사용하는 논리에 대해서도, 공동체적 경험, 정신적 풍토, 창조적인 사람들의 습성에 관한 어떤 것도, 더욱이 음식 섭취에 대한 그 어떤 것도 도덕의 문제와 결부시켜 거론한 적이 없다.

"우리는 음식이 정신에 미치는 영향을 제대로 알고 있는가? 식생활에 관한 철학이 존재하는가? (끊임없이 채식주의가 옳다 그르다는 소동만이 난무하는 걸 보면 이런 철학이 지금껏 존재하지 않았다는 것이 충분히 입증된다!)"

이런 새로운 논의들을 통해 우리는 분명 귀중한 지식을 얻게 될 것이다. 이 과정에서 놀라운 것들이 나타난다. 음식은 우리가 생각하는 것보다 훨씬 더 많이 우리의 행동에 원인을 제공한다. 여기에는 반론의 여지가 없다. 그런데 어째서 "우리 몸에 대한 연구와 음식학을 초등학교와 중·고등학교 과정에 의무교육으로 포함시키지 않는가?" 니체는 이렇게 개탄했다. 어쩌면 범죄자란 자기가 처한 구체적인 상황을 이해하고 그에 따라 음식학적 지식을 활용할 수 있는 능력이 부족해서 범죄를 저질렀는지도 모른다고 니체는 생각했다. 범죄자는 구체적인 상황에 대한 이해와 음식학적 지식을 통합할 수 있는 의학적 지성과 의학적 선의를 필요로 하는 사람일지 모른다고 말이다. 우리는 여기서 "인간은 곧 그가 먹은 것과 같다"라고 주장했던 포이어바흐Feuerbach의 흔적을 발견할 수 있다.

음식이 행동을 결정한다. 그렇다면 음식 섭취를 통해 그 필연성에서 벗어날 방법이 있을까? 자유의지가 없는데 어떻게 자신에 대해 스스로 작용하고, 스스로 원하고 자기 자신을 구성할 수 있나? 먹을 음식을 선택하는 것, 그것은 곧 자신의 본질을 공들여 만들어가는 과정이다. 니체는 먼저 이러한 선택이 가능하려면 음식이 행동을 결정한다는 사실을 받아들이고, 음식이 어떻게 행동을 결정하는지 살펴봐야 한다고 주장한다. 자신의 의도를 설명하기 위해 그는『검소한 삶에 대하여』의 작가인 베네치아의 코르나로Cornaro를 참조

한다. "그는 장수와 행복의 비결이자 고결한 삶을 살 수 있는 비결로 마른 체형을 유지할 것을 권한다." 이 이탈리아인은 자신의 방식이 장수의 비결이라고 하지만 니체는 그것을 오류라고 보았다. 원인과 결과의 혼동, 즉 인과성의 전도가 일어났다는 것이다.

"그의 몸은 신진대사가 지나치게 느리고 에너지대사량도 적었다. 덕분에 마른 체형을 유지하며 장수할 수 있었지만, 적어도 그는 먹는 문제 앞에서는 자유롭지 못했다. 소식은 그의 자유의지에서 나온 결정이 아닌 것이다. 많이 먹는 날이면 그는 늘 병이 났다."

사실 우리가 식습관을 선택하는 것은 아니다. 우리들 각자는 자기 몸의 필연성, 즉 타고난 각자의 본성에 따라 적절히 먹는 방법을 찾아낼 뿐이다. 음식학이란 지적 성찰을 통해 필연성의 지배를 감내하는 학문이다. 신체가 필연적으로 따르는 것이 무엇인지 제대로 알지도 못한 채 먹을 것을 임의로 선택해서는 안 된다. 먼저 내 몸에 가장 적합한 것이 무엇인지를 이해하는 것이 중요하다.

어떤 음식을 먹을 것인가에 대한 관심은 우리를 '너

자신이 돼라'는 수도사적 삶으로 이끌며, 동시에 '네 운명을 사랑하라'는 아모르파티Amor fati의 실천을 요구한다. 결국 식생활은 자기 자신의 본성에 일치하려는 의지이고 자신이 욕구하는 바와 자신에게 용인된 것을 조화시키는 행위이다. 그러기 위해서는 자신에게 주어진 것과 마땅히 선택해야 할 것이 무엇인가를 고려해야만 한다. 이러한 신중함에서 기쁨과 만족이 비롯된다.

그런데 몸이 따르는 필연성을 덕목으로 삼으려면 어떻게 해야 할까? 먼저 소극적으로, 하지 말아야 할 것부터 결정해야 한다. 다음엔 적극적으로, 해야만 하는 것을 구별해야 한다. 소극적 음식학은 양의 음식학이고, 적극적 음식학은 질의 음식학이다.

"사회의 부유층이 사는 곳 어디나 있는 식당에서 요즘 사람들이 만드는 식사란…, 쯧쯧!"

푸짐하게 차려진 식탁은 그저 허영에 불과하다. "이런 식사가 대체 무엇을 의미하는가? 그것은 보여주기 식이다! 그거 참, 뭘 보여주려고? 품위를? 아니다. 돈을 보여주려는 것이다. 우리에게 더 이상 품위란 찾아볼 수 없다." 부를 드러내는 기호로 전락한 식사….

니체는 거의 모든 것을 먹어치우고 소화시키는 현대인의 식습관에 반기를 든다. "현대인은 거의 모든 것을 소화한다. 마치 거기에 인생의 야망을 건 것 같다." 이 시대는 과도기적이다. 푸짐한 것이 좋은 시대와 귀한 것이 좋은 시대 사이에 우리 시대가 있다. "식충이 같은 인간은 더 이상 최고급의 종에 속하지 않는다." 어쨌든 저속함이란 분별없는 것 속에 존재한다. 잡식은 하나의 착오다.

나쁜 음식이란 가볍고 부드럽게 소화되지 않는 음식이고 섬세함도 결여된 질이 낮은 음식이다. 니체가 꼽은 나쁜 음식의 전형은 바로 독일 음식이다. 대표적인 예로 전채요리에 나오는 수프를 들 수 있다.

'너무 푹 삶아진 고기, 전분질이 많은 미끈미끈한 야채들, 차라리 종이를 눌러놓기 위한 무거운 문진으로나 쓰일 법한 전채요리들.' 그리고 또 맥주가 있다. 니체는 독일 문화가 투박해진 데 대한 전적인 책임이 바로 이 국가적 음료에 있다며 맥주를 극도로 혐오했다. 독일의 맥주야말로 정신의 점진적 퇴화를 불러오는 주범인 것이다. 다른 술도 마찬가지다. 니체는 고등학생 시절의 자기 경험을 이렇게 털어놓는다.

"참 신기한 일이다. 나는 술에 물을 많이 타 마셔도 금세 속이 안 좋아지는데, 그럼에도 계속 마시다 보면 마치 선원처럼 폭음을 하게 된다."

그의 주량은 반주 삼아 마시는 와인 한 잔이나 맥주 한 잔 정도였다.

빵도 좋지 않다. 빵은 "다른 음식들의 맛을 중화시켜 맛을 없애 버린다. 이것이 모든 식사에 빵이 끼어드는 이유이기도 하다."

야채 중에서도 전분질 야채는 아예 금지시켜야 한다. 니체는 사람들이 쌀을 과하게 섭취하면 아편과 마약에 끌리게 된다고 주장했다. 같은 맥락에서 감자를 많이 먹으면 압생트를 심하게 들이키게 된다. 쌀과 감자를 많이 먹으면 "생각과 느낌을 마비시키는 마취제 같은 작용이 생겨나기 때문이다." 이 철학자의 주장은 근거가 없거나 불분명하다. 구전되는 이야기에서도, 상징의 전통에서도, 다른 어떤 풍습에서도 이런 주장을 뒷받침하는 논거는 없다.

채식주의 또한 니체에게는 더 이상 하나의 대안이 될 수 없다. 바그너가 잠시 동안 채식주의자였고 이어서 히틀러가 그랬지만, 채식주의는 니체의 의지와 어긋난다. 그가 생각하는 채식주의자는 이제 곧 자양강장제를 먹어야 하는 사람들이다. 야채만 먹어서 힘이 쏙 빠진 존재들을 보는 것만으로도 다른 사람들은 고통을 느낀다. 그럼에도 니체는 게르도르프Carl von Gersdorff와의 우정 때문에 잠시 동안 실험적으로 채식을 해본 적이 있다. 친구에게 보내는 편지에서 니체는 조심스럽게 이런 말을 전한다.

경험을 통해 나는 다음과 같은 결론에 이르렀습니다. 지적으로 활발하고 감수성이 뛰어나 강렬하게 정서에 동요되는, 그런 본성을 지닌 사람들에겐 고기가 필요합니다. 이런 식생활 이외의 방식은 글쎄요, 뭐든지 소화해낼 만큼 강철 위장을 지닌 농부나 제빵사에게는 적합할 수 있지요. 하지만 나는 지금껏 당신에게 나의 용기와 선의를 보이고자 채식을 유지해 보았습니다. 앞으로 제가 다르게 사는 것에 대해서 당신이 허락하지 않는다면 계속 그렇게 하겠습니다. (…) 숙소에서 주는 대로 먹다보니 우리가 이런 '사육'에 익숙해졌다는 것은 인정합니다. 그러나 이제 나는 거기서 주는 그 어떤 음식도 먹지 않습니다. 그리고 영양학적인 이유로 잠시 동안은 고기를 금하는 것이 때로는 정말 필요할 수도 있다고 생각합니다. 하지만 왜 채식을 구태여 하나의 신앙으로 만들어야 할까요? 사람들이 무엇에 대해 환상을 갖게 되면 예외 없이 그것을 종교로 만드는 것처럼 말이지요. 우리가 채식주의를 지지할 정도면 마케도니아식 샐러드 같은 사회주의 혼돈도 받아들이게 되는 것입니다.

니체의 전기를 집필한 얀츠C. P. Janz는 이 철학자가 그 당시 바젤에 있었고, 이 편지를 쓴 시기, 그러니까 1869년 9월, 이 도시에서 바쿠닌Bakounine이 참석한 제4차 인터내셔널 노동자 동맹 대회가 열렸다는 것을 빼면 어째서 니체가 채식과 사회주의를 연결시키는지 이해하지 못했다. 물론 채식과 사회주의가 연결되기 어렵다고 생각한 이 전기 작가의 생각은 틀렸다. 사실 채식주의에는 이미 루소라는 유명한 대표주자가 있다. 그는 최초의 인간이 먹었을 법한 채식주의적 식사법을 만들었다. 루소는 『에밀』에서 다음과 같이 경고하고 있다.

"고기를 많이 먹는 사람들이 일반적으로 다른 사람들보다 더 잔인하고 흉포하다는 것은 사실이다."

여기서 고기=힘=잔인함, 채소=약함=부드러움의 등식은 강함과 약함, 귀족주의(혹은 엘리트주의)와 민주주의-사회주의의 분할로 이어진다.

니체의 음식학은 중용을 추구하는 학문이다. 많이 먹어서도 안 되고(예를 들어 쌀, 감자), 결핍되어서도 안 되며(예를 들어 고기), 어떤 것들은 추방해야 한다(예를 들어 술, 자극적인 맛이 나는 음식). 이처럼 그는 몸에 영향을 미치는 음식의 성질과 올바른 식사법이 조화를 이루도록 장려한다. 독일인들이 둔하고 고집스럽고, 섬세함이라고는 찾아볼 수 없는 국민이 된 것은 음식을 만드는 자들이 이러한 영양 요소들의 법칙을 잘 몰랐기 때문이다. 니체는 주방에서의 어리석음을 비난하고 요리사로서의 여성을 공격하며 여성은 끔찍한 무지로 가족을 부양하는 가정의 주인 역할을 하고 있다고 낙인찍었다. 이렇게 "인간 존재의 진화가 오랫동안 지체되거나 심각하게 위태로워졌던 것도 다 주방에서의 이성이 부재했기 때문이다. 오늘날도 사정이 그렇게 나아지지는 않았다."

이미 설계된 욕망에 따라 우리가 손쉽게 인간을 만들어낼 수 있다는 생각이 오랫동안 사람들을 지배해 온 것 같다. 아마도 이 생각은 단순한 우생학, 아니면 신체의 신비스러운 조정능력을 뜻할 것이다. 니체도 이런 통념에 빠져 있었고, 어떤 음식들을 적절히 골라 먹으면 어떤 구체적인 인종을 만들어낼 수 있을 거라고 생각했다. 종을 선택하는 방법으로서의 음식이라…. 그렇다면 조화를 이루는 적절한 음식의 배합은 아주 우세한 생명력을 양산할 것이다. 『선악의 피안』은 이렇게 말하고 있다. "음식을 풍부하게 공급받은 종들은 (…) 이내 강력하게 유형을 분화하는 경향이 있다. 이 종이 여러 종으로 분화 될 때 간혹 괴물 같은 종이 등장하기도 한다."

음식을 우생론의 수단으로 여겼던 플라톤은 영양섭취의 피상적 신화에 빠져 있었다. 다행히 니체는 한 권의 저서에서만 의견을 피력했을 뿐 그쪽으로 계속 나아가진 않았고, 따라서 이 가설도 더는 발전하지 않았다. 집단의 문제를 해결하는 데는 관심이 없었기 때문에 니체에게 음식학이란 오직 특별한 목적에만 쓰이게 될 것이다.

니체에 따르면 무겁고 섬세함이 결여된 독일음식에 반대되는 음식이 있다. 이탈리아 피에몬테 지방의 음식으로, 상대적으로 소화하기에 가볍고 산뜻한 맛이 있다. 니체는 이 음식을 하면서 알코올에 반대인 물의 효능 또한 찬양한다. 그는 니스, 토리노 또는 질스-마리아에 있을 때 풍부한 샘물을 마시느라 잔을 내려놓지 않았다고 한다. 그런가 하면 『이 사람을 보라』에서는 커피 대신 차를 권했다. 단, 아침에 조금만, 그러나 진하게.

"너무 연하게 우려낸 차는 조금만 마셔도 몸에 해롭고 하루 종일 몸을 불편하게 만든다. 물론 이건 나만의 기준이다."

그는 초콜릿을 좋아했다. 특히 날씨가 변덕스러운 기후대에 사는 사람들에게 차에 함유된 카페인은 맞지 않으니 초콜릿을 먹으라고 권했다. 그는 네덜란드의 반후텐Van Houten 초콜릿과 스위스 스프룽리Sprüngli 초콜릿의 효능을 비교하곤 했다.

니체는 음식학의 범주 안에 음식의 본성과 특성에 관한 지식뿐만 아니라 먹는 방법, 식사 양식, 식이 조절의 필요성까지 포괄적으로 다뤘다. 첫 번째 명령은 "자기 위장의 크기를 알라."는 것이었다. 두 번째는 가벼운 식사보다 풍족한 식사를 선호하라는 것이다. 소화는 위가 꽉 찼을 때 오히려 더 잘 된다. 마지막으로는 식탁에서 보내는 시간을 재보라는 것이었다. 과식으로 인해 너무 길지 않게, 위 근육의 활동과 위산의 과다 분비를 피하기 위해 너무 짧지도 않게.

무엇을 어떻게 먹을 것인가에 대해 니체는 가능한 최악의 경험을 했다고 고백한다. "나는 이 문제를 너무나 뒤늦게 제기했던 점에 대해, 그리고 이 경험들에서 이성을 너무 늦게 꺼내 든 나 자신에게 놀란다. 오직 우리 독일 문화의 완벽한 무익함—독일의 '관념론'—만이 내가 왜 이 문제에 관해서 정말로 무지한 사람처럼 뒤처져 있었는지 그 이유를 어느 정도 설명해 준다."

실제로 니체가 어머니에게 보낸 편지를 보면 그의 식생활은 매우 비사교적으로 이루어졌다. 이는 그의 생활방식이기도 하다. 그러나 니체는 어떤 순간도 돼지고기 가공육과 기름기가 많은 음식들은 포기하지 않았던 걸로 보인다.

1877년, 그는 이렇게 먹었다.

"점심: 리빅Liebig 고기 스프, 식사 전 차 1/4 스푼, 햄과 계란을 넣은 샌드위치 두 개, 빵과 호두 8알, 사과 두 개, 생강 두 조각, 비스킷 두 개. 저녁: 빵을 곁들인 계란, 호두 5알, 러스크 하나 또는 비스킷 세 개를 곁들인 설탕 우유."

1879년 6월에도 그는 늘 비슷하게 먹었다. 무화과를 추가하고 우유 소비량을 배로 늘인 정도인데 아무래도 위의 속 쓰림을 달래고자 했던 모양이다. 고기는 비싸서 거의 먹지 못했다. 1880년대에 들어 어머니에게 보낸 편지를 보면 대부분 소시지와 햄을 보내달라는 내용이다. 그는 소금에 절인 음식이 제대로 절여지지 않았다고 불평했다. 그리고 배는 제발 좀 그만 보내라는 부탁도 덧붙인다.

엥가딘Engadine에 머물던 시절, 그는 음식 조달에 대해 걱정하면서 쇠고기 통조림을 구할 수 있는지 늘 확인하곤 했다. 1884년 그가 쓴 편지를 보면 자기 몸이 얼마나 비극적인 상태에 처했는지 알 수 있다. 속 쓰림, 심한 두통, 시력 저하, 구토…. 결국 그는 점심을 간단하게 사과로 때웠다. 그리고 포스터Michael Foster의 『생리학 개론』을 읽은 뒤론 스타우트와 페일에일 같은 영국 맥주를 마셨다. 정신을 서서히 퇴화 시킨다며 스스로 맥주를 파면했다는 사실을 잊은 것일까? 그러나 영국맥주는 순전히 숙면을 위한 것이었다. 적어도 그는 그렇게 믿었다.

이듬해 니스로 거처를 옮긴 뒤 그는 하숙집에서 고급 밀가루로 만든 빵과 우유로 점심 식사를 했고 저녁도 그 곳에서 먹었다. "거긴 모든 요리들이 기름기 없게 잘 구워졌다. 독일식 뷔르템베르그 요리를 만드는 프랑스의 망통Menton에서와는 달리."

1886년 질스-마리아에 체류하면서부터는 유제품이 등장한다. 어머니에게 보낸 편지에 러시아식으로 발효시킨 우유에 곁들인 크림치즈에 대해 이렇게 썼다.

"지금 몸에 딱 좋은 것을 발견했어요. 저는 우유, 그리고 염소 젖으로 만든 치즈를 먹고 있죠. …그리고 직접 말린 채소 다섯 첩을 주문했어요. (…) 그러니까 햄은 잠시 그대로 두세요. (…) 그리고 수프도 그냥 두세요."

실제로 유제품 덕분에 속 쓰림이 덜해지긴 했지만, 말린 채소는 소화에 별 도움이 되지 못했다. 그리고 샤퀴테리(charcuterie, 돼지 가공육—옮긴이)는 포기했는데, 몸에 맞지 않아서가 아니라 소금에 절인 돼지 부속들이 워낙 불결하고 형편없어서였다. 그는 돈이 모자라 원하는 만큼의 풍족한 식사는 하지 못했다. 점점 가난하고 쇠약해져가는 그는 어떻게든 몸을 살찌워야만 했고, 그만큼 음식을 선택할 여지도 줄어들었다. 가장 괴로운 점은 고기를 먹지 못한다는 것이었다.

1887년 8월, 질스-마리아에서 그는 여름 휴가객으로 북적이는 거리를 지나 '이탈리아 여관'Albergo d'Italia으로 남들보다 삼십 분 먼저 식사를 하러 가곤 했다. 갈은 숙소에 묵고 있는 백여 명의 투숙객들과 아이들의 시끌벅적한 소음을 피하기 위해서였다. 그는 어머니에게 '떼 지어 먹는 것'은 질색이라고 말했다.

"그래서 나는 혼자 먹습니다. (…) 매일매일 시금치와 (사과 마멀레이드를 속에 바른) 수플레 오믈렛, 그리고 살짝 구운 멋진 비프스테이크가 나옵니다. (…) 저녁에는 얇게 썬 햄 조각, 노란 달걀 두 개와 작은 빵 두 개. 이게 다예요."

매일 아침 다섯 시에 그는 따뜻하게 녹인 반 후텐Van Houten 초콜릿 한 잔을 마신 다음, 다시 한 시간 더 누웠다가 일어나 큼지막한 잔에 차를 가득 따라 마셨다. 그러나 그의 편지에는 여전히 비엘룬 햄 또는 소시지나, 꿀, 대황 조각, 가토 드 사부아gâteau de Savoie 같은 내용이 적혀 있었다.

1888년, 정신이 또렷했던 마지막 해에 그는 와인, 맥주, 그리고 독한 술과 커피를 모두 끊었다. 그는 오로지 물만 마셨으며 "삶의 방식과 식생활에서 극단적으로 규칙적인 생활을 하고 있다"고 털어놓는다. 음료는 그렇다 쳐도 그는 늘 비프스테이크와 오믈렛, 햄과 노란 날달걀과 빵의 조합에 빠져 있었다.

그해 여름 니체는 앞으로 넉 달간 먹을 연분홍빛 햄 6킬로그램을 주문했다. 어머니가 보낸 소포가 도착하자 니체는 '만져보면 부드러운' 소시지들을 가는 끈으로 엮어 벽에 걸어 두었다. 묵주처럼 걸려있는 소시지 아래 앉아 『안티크리스트』를 쓰고 있는 철학자를 상상해 보라….

몸이 서서히 무너지던 그 몇 주간, 니체는 드디어 과일을 먹는다. 토리노에 머물던 그는 거기서 "지금껏 가장 기분 좋았던 건, 채소와 과일을 파는 행상 노파들이 나의 기호에 맞게 가장 잘 익은 것들로 골라주었던 일"이라고 토로했다. 과일과 채소가 이 사상가의 식탁에 오르는 것을 보기 위해서는 이 시기까지 기다려야 했던 것이다. 한창 때의 니체에겐 있을 수 없는 일이다. 어디 과일이나 채소뿐인가, 그는 싱싱한 해산물에도 전혀 관심이 없었다. 니스에서조차.

본인은 부인하지만 니체의 식단은 대체로 무거운 음식들로 채워졌다. 물론 독일식 무거움이 아니라 프로방스나 지중해식 무거움이긴 해도 어쨌거나 소화하기에 가벼운 음식들은 아니었다. 독일 음식이 당연히 질기고 소화도 잘 안 되는 게 사실이지만, 그가 독일음식과 대비시켰던 피에몬테 지방의 음식도 사실 그다지 가볍다고 할 수는 없다. 흰 송로버섯 외에 피에몬테 지방의 특산물로 잘 알려진 라구와 파스타도 썩 가벼운 편은 아니다.

평생에 걸쳐 니체의 식습관이 올바른 방향으로 바뀐 적은 없었다. 『이 사람을 보라』는 이렇게 밝히고 있다.

> 사실 나는 꽤 나이가 들 때 까지도 변변히 음식을 제대로 먹어보질 못했다. 도덕적으로 표현한다면 개성 없고 사심 없이 이타적인 방식으로 섭취했다고 말할 수 있다. 요리사들과 기독교인들의 가장 큰 이익을 위해.

위는 고장 났고 신체의 생리적 기능들도 망가졌다. 몸은 건강을 잃었고 생활은 가난했다. 맛과 상관없이 그저 수지맞는 음식을 내놓는 민박집들을 전전할 수밖에 없었던 철학자…. 그는 건강을 위한 음식학과는 정반대의 길을 걸었다. 사람들이 생선을 먹는 동안 니체는 소시지, 햄, 가축의 혀, 사냥한 고기, 노루 따위를 먹었다. 어머니가 아들을 위해 생선은 물론 생선요리에 필요한 여러 도구와 재료들까지 보내주었음에도 불구하고.

만일 당신이 니체주의자가 되고자 한다면 그가 『반시대적 고찰』에 서술한 다음 내용을 기억해야 할 것이다.

“나는 어떤 모범을 보여주는 사람만을 철학자로 여긴다.”

이런 척도라면 니체는 평판을 잃고 말 것이다. 그는 자신이 만든 음식학 이론을 전혀 실천하지 않았다. 이성과 광기의 경계선에서 그는 마지막 텍스트를 써내려간다.

나는 어떤 ‘무엇’이다. 내가 나에 대해 쓴 것은 다른 ‘무엇’이다.

사실 니체의 음식학은 상상 속의 덕이자 근심이 불러들인 환상이었으며, 소화 잘 되는 음식을 먹고자 했던 소망의 주술이었던 것이다. 음식은 세계의 아날로공analogon이다. 즉 음식은 세계를 인식할 수 있는 매개체가 된다. 아주 시적이지는 않지만 음식을 기술하는 니체의 수사학은 자신과 현실 사이를 잇는 조화로운 연결의 미학에 있다. 물론 여전히 꿈꾸는 미학일 뿐이지만.

무엇을 어떻게 먹을 것인가? 이것은 자기 몸을 만들고, 자기 삶을 욕망하는 의지의 문제다. 필연적으로 조화를 이루지 못했던 니체의 몸은 그만큼 지키지 못할 것들을 꿈꿨던 셈이다. 그는 이룰 수 없는 것들을 향해 아낌없이 의지를 불태웠을 뿐이다. 유기체의 깨끗함, 기능의 원활함, 몸의 가벼움.

니체에게 무엇을 어떻게 먹느냐의 문제, 즉 음식학은 윤리학과 미학을 하나로 묶는 본질적인 원동력이다. 음식학은 하나의 예술이며, 예술의 궁극적 목적은 소망을 양식에 담는 것이다. 음식학은 자신에게 기쁨을 주는 행위를 실천할 수 있도록 돕거나 적어도 기쁨을 추구하는 노력에 함께한다. 자기를 만들어 가는 예술, '필연'의 주술이자 초월적 세계가 아닌 지금 여기의 세계를 사유하는 기술.

음식학은 이론적 논리뿐만 아니라 고결한 삶의 방식에 따라 몸을 고결하게 하려는 의지로서 가치를 갖는다. 십자고상의 고리타분함이 주변을 에워쌀 때는 디오니소스를 연상할 것.

즐거운 지식으로.

07
파스타를 증오한 남자
마리네티

마리네티Marinetti는 모든 것이 현대적이길 원했다. 그는 감상주의와 퇴폐주의에 헌납된 고도古都, 베네치아의 소멸을 꿈꿨다.

산마르코 광장은 넓은 주차장으로 바뀌어야 한다. 석호에서 나온 이 보석이 어쩌다 이 지경이 되었을까? 사실 그는 베네치아가 아드리아 해를 지배할 힘이 있다고 생각했다. 산업적으로나 군사적으로나 베네치아가 엄청난 저력을 지녔다는 사실을 사람들이 깨달았으면 했다. 그는 베네치아를 통해 지중해에서, 아니 더 나아가 전 세계에서 이탈리아가 군사적 패권을 차지하는 그런 미래를 그린 것이다. 미래주의자들은 그들의 혁명을 성공시키기 위해서라면 수단과 방법을 가리지 않았다. 그들은 도시계획뿐만 아니라 음악, 의복, 영화, 소설 등 초현실주의가 잊고 있었던 영역까지 거의 모든 것을 바꿔버릴 기세였다. 당연히 요리 또한 이전에 세워진 모든 가치들을 전복하려는 계획에 들어 있다.

마리네티에게 음식이란 세상을 바꿔버리겠다는 절대 의지의 도구다. 그는 음식 혁명이 곧 현실세계의 혁명이라 여기며 당대의 식문화 전통에 새로운 형식을 부여하고자 했다. 이 생각은 질스-마리아 시절의 니체 철학, 공기 같은 가벼움에 대한 열정과 자유에 대한 갈망에서 어느 정도 영감을 받은 게 분명하다. 마리네티식 요리는 마르크스식으로 말하자면 혁명 계급으로서 프롤레타리아의 단결에 상응하는 것이다. 그는 음식을 통해 새로운 삶의 본질을 창조하는 것이 가능하다고 믿었다.

우선 음식의 영역에서 미래주의자들의 분노는 가장

먼저 파스타로 향했다. 이탈리아의 과거를 상징하는 파스타는 내일의 이탈리아에겐 적이다. 마리네티는 『미래주의적 요리』에 이렇게 썼다.

> 우리 미래주의자들은 모두가 상식적이지 않다고 여길 만큼 새로운 것을 만들어내기 위해 전통적인 것들을 경멸한다. 조악하게 아무 거나 대충 먹는 사람들이 과거에 위대한 일을 실현했다는 것을 부정하지 않는다. 그럼에도 불구하고 우리는 다음과 같은 사실을 주장한다. 인간은 자신이 마신 것과 먹는 것에 따라 생각하고 꿈꾸고 행동한다.

파스타는 이탈리아를 상징하는 음식이자 이탈리아 반도의 아날로공analogon이다. 파스타를 공격하는 것, 그것은 이탈리아 문명 자체를 전복하는 일이다. 마카로니, 면 그리고 스파게티는 이탈리아를 의미한다. 파스타를 섭취하면 살이 찌고 둔중하며 탁하고 거무스름한 납빛 색의 몸이 되는데 이런 몸은 쇠, 나무장작, 강철과 흡사하다. 미래주의자들이 보기에 이런 몸은 가벼움, 빛 그리고 도약의 결정체를 상징하는 고귀한 재료, 즉 알루미늄과는 전혀 닮지 않은 것이다. 마리네티는 민첩성을 가치 있는 덕목으로 꼽았다. 니체의 춤, 혹은 가벼운 발걸음을 연상시키는 민첩성을 지니려면 파스타라는 음식 신앙부터 버려야 한다. 파스타는 자발성을 떨어뜨릴 뿐만 아니라 아이러니하면서도 센티멘털한 회의주의를 양산하기 때문이다.

> 파스타는 (…)예전에 물레 앞에서 페넬로페가 아주 느리게 실을 뽑던 식으로, 아니면 바람을 기다리며 반쯤 잠들어 있는 범선처럼 이탈리아인들을 농락해 사로잡고 있다. 왜 여전히 저 엄청난 양의 파스타를 그냥 내버려 두는가? 이 이탈리아의 천재가 지구 주변을 향해 하는 라디오-텔레비전을 통해 온 바다와 대륙을 새로운 소리와 색깔과 형태로 가득 채우려 하는데, 이 길고 짧은 파동으로 만들어질 어마어마한 장腸에서 파스타의 꼬불꼬불한 면은 빠져야 한다. 파스타를 지키려는 자들은 포탄을 삼켜 위를 폐허로 만드는 것이나 마찬가지다. 이들은 갤리선의 노 젓는 죄수처럼 억지로 끌

려 다니는 자들이거나 옛것에 포획당한 고고학자들이다. 마지막으로, 파스타를 먹지 않는다면 이탈리아는 더 이상 값비싼 외국 밀을 수입하지 않아도 된다는 사실을 분명히 기억해야 한다. 그렇게 되면 이탈리아 쌀 산업의 전망은 아주 밝아질 것이다.

이런 식으로 마리네티는 추구해야 할 가치와 경제적 우려를 한 줄로 연결시킨다. 파스타의 종말은 무거움에 종속되었던 육체와의 결별이자 외국 시장에 예속된 국가 경제의 자립을 의미한다. 이는 동시에 시장의 자율성을 회복시켜 국가적으로는 쌀을 생산하고 유통할 수 있는 새로운 기회를 제공해주는 셈이다. 게다가 무거움에 짓눌린 육체를 자유롭게 풀어주는 건 덤이다. 이렇듯 다양한 의미에서 파스타의 죽음으로 몸은 다시 살아난다. 이처럼 신체는 고유한 특성을 지니지만 정치에 따라 바뀔 수 있는 것이다. 경제 원리로서의 음식학.

미래주의적 음식 혁명은 모든 사람들이 좋은 음식을 먹고 충분히 영양을 섭취할 수 있도록 세상을 바꾸는 데 그 목적이 있다. 이를 실현하기 위해 먹고 마시는 방식도 경제적 관점에서 합리적으로 조절할 필요가 있다. 마리네티는 밀라노의 한 레스토랑에서 이러한 요구를 담아 식생활에 코페르니쿠스적 전환을 가져올, 미래주의에 입각한 계획을 발표한다. 밀라노에서의 연설은 이러한 코페르니쿠스적 전환 이전과 이후의 시대를 설명하는 내용을 담고 있다. 전환 이전 시기는 파스타, 이후 시기는 쌀로 특징지을 수 있다. 이전의 시기는 반복되는 관습이 지배하는 시기이며, 이후의 시기는 상상력이 지배하는 시기이다. 과거에 묶인 이탈리아 vs 미래를 향하는 이탈리아.

저는 여러분 앞에서 이탈리아 음식 체계의 전면적 쇄신을 위한 미래주의적 요리 계획을 발표합니다. 우리 민족이 기울여야 할 이 새롭고 영웅적이며 역동적인 노력을 위해 다음과 같은 요구가 시급히 채택되어야 합니다. 먼저 미래주의적 요리는 파스타의 폐지를 최우선 원리로 삼을 것입니다. 이제껏 많은 양을 먹을 수 있다는 이유만으로 고수해온 그 오랜 집착에서 벗어나야 합니다. 비록 왕이 좋아하는 음식이라 할지라도 파스타는 과거 회귀적인 음식입니다. 왜냐하면 파스타를 먹으면 사람이 굼뜨고 회의적이며 비관적으로 변하기 때문입니다. 애국적인 관점에서도 파스타가 아닌 쌀이 적합합니다.

이어서 이런 음식들이 뒤따른다.

'장미와 지중해의 사랑스러운 햇살을 머금은 스프', '아주 순한 아티초크의 심장', '풍성한 솜사탕', '푸아그라'(무거운 음식을 빼는 게 썩 간단치는 않았나 보다), '매운 소스를 곁들인 양 고기 바비큐', '바쿠스의 피', '친자노[20]를 따를 때 생기는 재미난 거품'……

밀라노에서의 이 선언은 무엇보다 맛의 기준을 전복시켰다는 점에서 특별하다. 맛의 좋고 나쁨은 더 이상 쾌락을 느끼는 주관적 판단이나 개인적인 충동에 달려있지 않다. 좋은 것이란 개인의 선택이 아니라 집단의 전체 이익에 부합하는 국가적 선택에 달렸다. 이

20 cinzano; 이탈리아 산 플레버드 와인. 와인에 여러 향료나 약초를 넣어 향미를 낸 포도주.

지점에서 마리네티는 니체보다 헤겔에 더 가깝다. 이 새로운 미래주의적 평가 시스템은 보편적인 것을 개별적인 것의 나침반으로 삼는다. 그러니까 마리네티는 사람들이 일반적 이익을 고려해 판단을 내리도록 하기 위해, 개인의 판단능력을 다시 규정한다.

요리에 관한 미래주의적 선언은 온전히 마리네티가 작성한 것이다. 마리네티식 언어로 '공식'이라 부르는 이 요리법 혁명이 왜 필요한지, 그 혁명의 정당성을 확립하고 선언을 인준한 것도 바로 마리네티 자신이다. 미래주의적 미식이 외치는 구호는 새로움이었다. 새로운 유형의 미각적 환희를 느낄 수 있게 하는 것이 중요했다. 마리네티와 필리아[21]가 서명한 초안에는 다음과 같은 미식혁명의 계획이 적혀있다.

> 미래주의적 요리 혁명은 (…) 근본적으로 우리 민족의 음식을 변혁할 위대하고도 고귀하며 유용한 계획이다. 경험과 지성 그리고 상상력이 그간의 진부하

21 Fillia(1904~1936); 본명은 Luigi Colombo, 이탈리아 미래파 화가

고 소모적인 음식의 되풀이를 멈추게 할 것이다. 이전과는 완전히 다른 새로운 음식이 향후 경제적 대안을 형성하는 데 도움을 줄 것이며, 이로써 우리 민족은 음식 혁명을 통해 더욱 강해지고, 활력을 찾을 것이며 새로운 정신성을 갖추게 될 것이다. 우리가 제안하는 이 미래주의적 요리는 수상비행기의 모터처럼 빠른 속도로 추진될 것이다. 물론 겁에 질린 몇몇 복고주의자들에게는 위험하고 미친 짓으로 보일지도 모른다. 그러나 이 요리는 과거와 미래의 삶 사이에 조화를 창조하게 될 것이다.

그들은 나아가 음식의 역사도 언급한다.

전설적인 몇몇 유명인사의 경우를 제외하고, 인간은 지금까지 개미나, 쥐, 고양이 그리고 소처럼 먹어왔다. 이제 우리 미래주의자와 더불어 사상 최초로 인간다운 요리가 탄생할 것이다. 달리 말하면 먹는 예술로서 음식이 탄생하는 것이다. 모든 예술이 그러하듯 이 또한 표절을 배제하고 창조적 독창성을 요구한다.

마리네티는 미래에 대해 낙관적이었고 확신에 차 있었다. 그는 음식을 바꾸는 것으로 현실을 변화시키길 기대했다. 그것은 음식을 통한 혁명이다. 당연히 마리네티의 의지에 대항하는 반대 세력의 움직임이 속속 나타나기 시작했다. 아퀼라L'Aquila 지역의 여성단체는 파스타를 지키자는 서명운동을 전개했다. 나폴리 사람들은 단두대에 오른 파스타를 살려내기 위해 거리로 몰려 나왔다. 토리노에서는 파스타와 화장수에 삶은 소시지를 비교하는 요리 대회가 열렸다. 잡지에는 이 '미래주의의 교황'이 엄청난 양의 스파게티를 게걸스럽게 먹는 합성사진이 실렸다. 그런가 하면 볼로냐에서는 사람들이 마리네티로 분장한 채 파스타를 먹던 대학생의 가면을 벗기는 소동도 벌어졌다. 이러한 소동들 대부분은 코미디와 부질없는 훈계들로 채워졌다.

미래주의적 혁명은 질적인 면에서만큼 양적인 면에서도 이루어진다.

음식의 크기와 무게로 음식을 가늠하고 평가하는 방식

> 은 폐기해야 한다. 초기에는 다소 낯설지라도 이제 새로운 조합을 실험해야 하며, 전통적인 조합 방식은 폐지해야 한다. (…) 입 안의 쾌락에서 일상적 평범함을 철폐해야 한다.

이를 위해 이 새로운 유형의 미식가는 국가가 캡슐, 알약, 가루약의 형태로 필수 영양의 균형을 보장할 수 있는 대체 약국을 세워야 한다고 주장한다. 즉 국가가 국민에게 영양분을 무료로 공급해주는 역할을 적극적으로 떠맡아야 한다는 얘기다. 이 대체 약국은 단백질, 합성지방, 비타민을 국민들에게 공급할 수 있어야 한다. 그렇게 되면 경제는 근본적으로 바뀌게 될 것이다. 생계비용이 줄어들 것이고, 임금 또한 줄어들 것이며 결과적으로 노동시간이 단축될 것이다. 여기서 우리는 유토피아적 이상을 위해 모든 것을 바치려는 혁명가 마리네티를 다시금 발견하게 된다.

> 노동으로부터 거의 완벽하게 해방된 인간을 위해 이제는 기계가 철, 강철, 알루미늄을 다루는 프롤레타리아

트 역할을 담당하게 된다. 노동은 두세 시간으로 줄고, 사람들은 여가 시간을 자기완성과 자아실현에 할애할 수 있을 것이다. 성찰하는 시간을 확보하면서 각자의 기품을 형성할 수도 있고, 예술로서의 완벽한 식사를 누릴 수도 있을 것이다.

마르크스가 꿈꾸었던 전인적 능력의 인간을 마리네티 또한 이루고 싶었다. 독일의 그 사상가가 사회혁명을 통해 인간을 소외로부터 해방시키고자 했다면, 이탈리아의 사상가는 음식혁명을 통해 그것을 이루고자 했던 것이다.

미래주의자의 목표는 정치적이지만 그 목적은 다분히 미학적이다. 그리고 요리는 존재 의미를 희구하는 예술이다. 우리는 여기서 한때 고귀한 철학자이자 예술가가 되는 것에 관심을 두었던 젊은 니체의 일면을 새삼 발견할 수 있다. 『비극의 탄생』에 따르면 니체에게 '예술이란, 인간이 이룰 수 있는 최상의 과제이며 삶을 사유하는 매우 형이상학적 활동'인 것이다.

창조, 실험, 파괴, 법칙화, 숙련이 철학자–예술가의

본성이라면, 우리는 마리네티를 새로운 스타일을 추구한 철학자-예술가라 여겨야 마땅할 것이다. 그에게 예술이란 현실을 변화시키는 수단이다. 물론 자기보존 본능과 관련 있는 음식에 대한 관심을 자신의 근본적 관심사 속에 포함시켰던 니체도 혁명을 위해 음식을 사용하는 마리네티가 완전히 틀렸다고 하지는 않을 것이다. 새로운 방식으로 음식을 섭취하는 이탈리아 대중들은 용맹스러워질 것이며, 이탈리아의 제국주의가 목표로 하는 바를 전 세계에 펼쳐 보일 것이다. 이러한 의미에서 새로운 로마제국 건설을 위한 전 지구적 확장을 가로막는 반혁명적 요소가 바로 파스타다.

무엇을 어떻게 먹어야 하는지를 국가가 관리하게 되면 이제 사람들은 그동안 먹고살기 위해 어쩔 수 없이 해야만 했던 노동으로부터 자유로워진다. 동시에 이러한 국가적 관리 덕분에 보다 엘리트적이고 귀족적인 요리 미학이 펼쳐질 수 있을 것이다. 배를 채운다는 것은 원초적인 요구에 따르는 것이다. 미학적으로 배를 채우는 것은 음식을 원하는 몸의 요구에 예술적으로 응답하는 것이다. 여기서 대중을 위해 양을 추구할 것이냐 엘리트를 위해 질을 추구할 것이냐 딜레마가 발생할 수 있다. 마리네티는 인류를 주인과 노예라는 이중의 관점에서 재고찰한 니체의 논리를 따라가면서 음식에 대한 새로운 관점을 제시한다.

대중적인 식자食者와 귀족적인 식자는 근본적으로 구별된다. 대중적 식자는 원초적 본능을 해소하기 위해 먹는다. 이 미래주의자는 이런 부류의 식자들이 가장 가성비 높은 방식으로 식사를 할 수 있도록 국가가 책임을 다해야 한다고 주장한다. 대중적인 식자들의 불안을 국가적으로 해소해줘야 하는 것이다. 반면에 귀족적 식자는 예술작품을 소비하고 멋진 혁명적 논리에 동참하기 위해 먹는다. 그들은 아름다움을 삼킨다. 하지만 두 경우 모두 목적은 같다. 아름답고 강하며 균형 잡힌 근육질의 몸, 동물적이면서 기계적인 몸을 만드는 것이다. 국가적 부름에 효과적으로 응답할 수 있는 그러한 신체를.

그렇지만 마리네티는 귀족적이라는 수식어가 가능한 최대로 확장되기를 바랐다. 모두가 주인인 유토피아는 군중을 귀족으로, 대중을 엘리트로 전환시키고자 한다. 또 미래주의적 계획은 이탈리아를 유럽의 지배 국가로, 더 나아가 세계를 지배하는 국가로 만들려는 인종차별적인 국가적 탐미주의다. 대중은 음식을 통해 예술작품을 만들 수 있다. 요리는 대중들이 자신들의 볼품없고 평범한 일상에서 벗어날 수 있는 가장 효과적인 방법이다. 요리를 통해 대중은 스스로 예술작품이 될 것이다. 이렇게 이탈리아 국민은 자신들의 천재적 재능을 국경 너머 전 세계에 펼쳐 보이게 된다. 미식은 전 지구적 혁명의 교양과정인 것이다.

마리네티는 모든 사람이 식사시간에 예술작품을 먹는다는 인상을 갖길 꿈꿨다. 이를 위해 그는 식사에 따른 관례를 체계적으로 정비했다. 식탁 위에 올라오는 모든 요소들은 상호 조화를 이뤄야 한다. 컵, 그릇, 장식, 식탁보 그리고 요리의 맛과 색감 등 상차림의 형식과 논리에도 조화가 깃들어 있어야 한다. 그리고 모든 감각들이 식탁 위의 조화를 만들어가는 데 적극적으로 활용된다. 이 조합의 예술적 완성도가 높으면 당연히 식욕을 돋우는 효과를 낼 것이다. 시선도 중시된다.

미래주의적 요리 예술은 우선적으로 '보는 기쁨'을 제공하는 놀이다. 음식이든 뭐든 식탁 위에 놓인 모든 것들은 눈의 즐거움을 위해 잘 구성된 전시물이어야 한다. 중요한 것은 욕구를 불러일으키는 것이며, 그러기 위해서는 색감들이 조화를 이루도록 아주 특별히 정성을 들여야 한다.

식사 때면 간과하기 쉬운 촉감 또한 특별히 연출되어야 한다. 먼저 마리네티는 포크와 나이프 사용을 폐지한다. 손과 손가락이 처음으로, 아니 어쩌면 너무도 오랜만에 쾌락을 느끼는 도구가 된다. 촉각을 통해 우리는 이제 곧 입으로 들어갈 음식들이 얼마나 뜨겁고, 얼마나 차가운지 직접 느낄 수 있다. 단단함, 말랑말랑함, 부드러움을 결정하는 농도와 입자, 윤기의 질을 결정하는 배합의 비율도 가늠할 수 있다. 그 외에도 촉각에 자극을 줄 수 있도록 여러 가지 천이나 재료들로 감싼 작은 접시들이 식탁에 놓인다. 리넨, 비단, 양모, 사틴, 사포 등에서 느낄 수 있는 특정 촉각은 거기에 맞는 특정 음식과 어울리도록 배치된다.

후각도 빠질 수 없다. 맛을 돋우기 위해 요리가 풍기

는 자연스러운 향과 거기에 맞는 향수를 함께 뿌린다. 향을 내는 이 농축물이 식사 시간 내내 공기 중에 뿌려진다. 향기 또한 식탁 위에 있는 음식의 색깔, 형태, 성질들과 조화를 이루도록 아주 세심하게 선택된다.

청각도 세심하게 선택된다. 향기와 마찬가지로 음악도 식사 중간에 은은하게 흘러나온다. 단, 다른 감각에 방해가 되지 않도록 음악은 요리를 나르는 동안에만 나올 것이다. 이는 식사 중에 미적 공감각들이 너무 복잡하게 얽히지 않게 하기 위해서다. 불필요한 소음을 배제하기 위해 마리네티는 식탁에서 웅변, 수다 그리고 정치적 담론을 금지한다. 모든 노력은 오직 감각을 느끼는 데에만 집중되어야 한다. 식탁 앞에서 다른 주제에 지성을 사용하는 것은 어떤 경우에도 적절치 않다. 물론 리듬의 과학인 시詩는 음악과 동일한 구실을 할 수 있을 것이다. 수도원의 식당에서 강독이 이루어지는 장면을 상상해보라….

결국 마리네티의 음식혁명은 "아주 잠깐 맛을 보는 중에도 열 가지, 스무 가지의 맛을 생생하게 느낄 수 있는 음식을 창조하는 것이다. 미래주의적 요리에서

이 한입에 들어가는 음식은 문학적 이미지라는 비유로서 확장된 기능을 지니며 삶의 모든 단면을, 예를 들어 사랑의 정열이 전개되는 단면을 보여줄 수 있고, 혹은 극동아시아에서의 여행을 요약할 수도 있다."

마리네티의 이론에는 당대의 과학적 성과들이 포함되어 있다. 새롭게 발명된 기계도 요리 도구로 사용할 수 있어야 한다. 공기 중 산소로 오존을 만들어내는 도구는 음식에 오존 향을 첨가하는 데 쓰인다. 오존 향은 (마리네티가 지극히 숭배해 마지않는) 비행기가 힘차게 가로지르는 광활한 창공을 상징한다. 자외선램프를 음식에 쬐어주면 음식의 영양가를 증폭시킬 수 있다. 마리네티는 생산성을 올리는 데에도 늘 관심을 가졌다. 전기분해기는 음식에서 필수 영양소를 추출하고 그 엑기스를 결합해 혁명적인 맛을 내는 새로운 물질을 만들어낼 수 있다. 콜로이드 압착기를 활용한 전채요리는 현대식 기계의 장점을 발휘할 것이고, 새로운 분쇄도구는 밀, 향신료, 마른 과일을 잘 빻아 고운 가루로 만들 것이다. 압력이나 진공을 이용해 작동하는 증류기, 원심력을 이용한 압력솥, 투석기, 음식에 들어 있는 기초 영양소를 정확하게 측정하기 위한 화학적 표시기 등 요리의 목적에 맞는 새로운 기술들이 등장할 것이다.

이 모든 이론은 1930년 12월 28일, 토리노 지역 〈민중의 신문〉에 실렸다. 마리네티는 지면을 통해 자신이 세운 계획의 본질과 실현 방법들을 집중적으로 논의했다. 거기서 두 개의 규칙이 확실히 도출된다. 첫 번째, 먹는 행위가 즐거울 수 있도록 동시에 다섯 가지의 맛을 내라. 두 번째, 미식을 준비하는 과정에 현대적 기술을 도입하라. 예술작품을 공들여 만들 듯 요리를 만들고자 마리네티는 이러한 규칙을 제시했다.

미래주의자들의 이론에 따라 식사를 준비하는 파티가 제법 열리기도 했다. 1910년 트리에스테Trieste에서 열린 첫 번째 미래주의적 파티는 요리의 질서를 뒤흔드는 일대 사건이었다. 이 첫 번째 식사는 미식혁명을 선언하는 자리이자 동시에 실천하는 자리였다. 요리의 이름은 사뭇 시적으로 작명되었다. 일찍이 롤랑 바르트는 새로운 세계를 발견한 이들이 고유한 언어, 창의적 수사법을 갖게 된다는 사실을 우리에게 확인시켜줬다. 마리네티도 이 법칙에서 벗어나지 않는다. 새로운 형태의 음식은 마땅히 그 의미를 제대로 표현할 수 있는 새로운 언어를 필요로 했다. 이렇게 해서 '흥분한 돼지porexcité'가 탄생한 것이다.

"아주 뜨거운 커피에 많은 양의 오드콜로뉴를 섞어 접시에 담는다. 그리고 소시지 껍질을 벗긴 뒤 날 것 그대로 접시에 담는다."

마리네티는 이 접시에 담긴 소시지를 '흥분한 돼지'라 명명했다.

"식사를 하는 사람의 오른편에는 검은 올리브, 회향 열매 그리고 금귤이 담긴 접시를 놓는다. 그리고 왼편에는 사포와 장미색 비단, 그리고 검은 벨벳으로 만든 작은 면을 둔다." 이런 식으로 구성된 감각적 예술을 '공중요리'[22]로 특화시킨다.

"이 음식은 오른손으로 직접 집어 들어 바로 입으로 가져간다. 이때 왼손은 작은 면을 가볍게 스치면서 촉각을 느낀다. 시중드는 사람들은 손님의 목덜미에 카

22 마리네티는 공중aéro이라는 접두사를 하늘을 나는 비행기가 상징하는 첨단 기술처럼 미래적인 것, 훌륭한 것을 나타내는 방식으로 사용한다.

네이션 향을 분무한다. 한편 바흐의 음악과 합쳐진 비행기 모터의 격렬한 소음이 주방에서부터 식탁 위로 흘러나온다."

이 한 끼의 식사에 미래주의적 요리 원칙들이 농축되어 있다. 살아나는 감각들, 커트러리의 금지, 식사를 돕는 보조적인 장치들의 사용, 향기, 음악, 촉각, 마리네티가 이토록 세심하게 감각을 일깨운 까닭은 문명에 침식당한 우리의 감각적 무력증을 보상하기 위해서였다. 그는 또 현대적 소음도 도입한다. 모터와 속도 그리고 비행기를 숭배하며 맛과 음악에 대한 전통적인 기준과 가치를 전환시켜 나간다. 오드콜로뉴처럼 전통적으로 음식의 영역에서 배제되었던 것을 음식재료로 사용하고 돼지고기와 커피처럼 익숙하지 않은 맛들을 결합시켰다.

마리네티의 음식 조합들은 혁명을 꿈꾼다. 바나나와 안초비의 결합, 설탕과 소금의 조합 같은 의외의 결합이 현실화되었다. 물론 이에 대해서는 뒤에 살펴보겠지만 마리네티가 이런 음식 조합을 창조해낸 첫 번째 인물은 아니다. 마리네티는 파인애플 위에 정어리를 놓고 그 중심에는 호두를 얹은 참치가 놓여 있는 이른바 '위를 깨우는 식단'을 구성한다. 또 고기와 생선의 혼합도 제안한다. 필리아는 이렇게 기술했다. '불멸의 대구요리: 호두로 속을 채운 대구를 올리브기름에 튀긴다. 그 다음 아주 얇게 썬 소의 간으로 돌돌 만다.' 미래주의적 요리는 기존 요리 규칙들이 파괴되어 발생하는 혼란들에 끝까지 아랑곳 하지 않는다. 얼린 크림과 생 양파 작은 조각으로 만든 여러 맛이 한꺼번에 느껴지는 '동시적 아이스크림'이 애피타이저와 디저트로 나왔다.

자, 이제 최후의 도발이 시작된다. 모든 질서를 위반하는 요리, 맛이 완전히 제멋대로인 '취한 소'가 등장한다.

"싱싱한 쇠고기 한 조각을 그릇에 담고, 거기에 껍질을 깐 사과, 호두, 양파, 카네이션 꽃을 가득 넣어 채운다. 그대로 화덕에 익힌 다음 아스티 스푸만테asti spumante 또는 파시토 데 리파리passito de Lipari 같은 포도주에 담가 차게 내놓는다."

이 외에도 대합, 마늘, 양파, 쌀, 바닐라 크림이 뒤섞인 요리 '트리에스테 만灣'이 있다. 공중화가aéropeintre

프람폴리니Prampolini는 포도주 찌꺼기로 만든 술 그라파에 감히 성수를 넣었다. 종교적 질서에 혼란을 일으키고 바티칸 요리에 한 방 먹이려는 듯 그는 진, 퀴멜, 아니스에도 성수를 넣어 섞어 마셨다. "그 위에는 성체를 넣어 조제한 안초비 파스타 덩어리가 떠다녔다." 시로코프란Dr.Sirocofran 교수는 한 술 더 떠서 아주 정교한 솜씨를 필요로 하는 극단적 시도를 권장한다. 그 위태로운 요리의 제목은 '죄인의 향기'다.

"동물의 방광을 얇게 말려 색을 입히고 그 안에 향수 한 방울을 떨어뜨린다. 그리고 방광을 천천히 데워 향수를 증발시키면서 동시에 안이 부풀어 오르게 한다. 향이 다양하게 변하도록 완성된 요리를 조심스럽게 커피와 함께 뜨거운 받침 접시에 올려 내놓는다. 사람들은 담배에 불을 붙여 가까이 놓고 여기에서 나오는 모든 향기를 들이 마신다."

자, 그럼 이제 시도해보시라….

미래주의자들은 전에 없던 새로운 언어를 사용했는데, 이는 요리 제목에만 국한되진 않는다. 요리가 만들어지는 각 단계마다 새로운 용어가 등장한다. 재료와 재료가 만나 다양한 조합 형태가 생겨날 때도, 새롭게 창조한 작업 방식들이 하나하나 소개될 때도 미래주의자들의 신박한 용어들은 어김없이 등장한다.

사실 요리에 이름을 부여하는 일은 전통적인 시학의 범주에 속한다. 하지만 요리가 만들어지는 연금술의 과정을 일컫기 위해 새로운 언어를 만드는 경우는 관습에서 찾아보기 어렵다. 마리네티는 라틴어에서 따온 접두어 '공共, co'으로 새로운 단어들을 만들어 낸다. 공음, 공광, 공음악, 공향, 또는 공촉각, 이 명칭들은 모두 감각과 요리의 어울림을 의미한다. 공소음이라는 명칭도 있는데, 이는 쌀을 배합한 오렌지 주스에 경오토바이의 모터 소리를 조합할 때 등장하는 말이다. 이 요리의 이름은 '이륙 시 윙윙거리는 소리'다. 공광은 포렉시테와 붉은 조명을 조합한 명칭이다. 공음악은 물렁물렁한 고기와 발레 뮤지컬의 조합에, 공향은 감자와 장미향의 조합에, 그리고 공촉각은 바나나 퓌레와 벨벳 또는 여성의 살결을 조합했을 때 쓰는 명칭이다.

공 이외에도 감각과 요리 사이의 상호보완성을 의

미하는 접두사 '반'反, dis이 있다. 기름이 지글지글 끓는 소리, 또는 액화가스가 타닥타닥 연소할 때 나는 소리가 파도 소리와 조합된 '이탈리아의 바다'라는 요리가 있다. 이 요리에 쓰이는 소리들이 다른 요소들과 상호 보완적 관계를 맺기 때문에 '반음'이라고 표현한다. 초콜릿 아이스크림과 오렌지 빛의 조합을 위한 반광, 안초비를 바른 대추야자와 베토벤 교향악 제 9번을 위한 반음악, 생고기와 자스민을 위한 반향. 에콰도르와 북극의 결합을 위한 반촉각.

새로운 요리가 탄생할 때마다 새로운 용어들이 채택된다. 그 결정은 기존 용어들이 지녔던 의미와는 하등 상관없다. 새로운 용어가 계속 사용될지 말지는 순전히 입에 착 달라붙느냐 아니냐에 달려 있다. 이거다 싶은 용어를 만드는 데 도움을 주는 음료도 있다. '짧고 깊은 명상 후에 기운을 돋궈주는 따뜻한 혼합음료'인데 여기에도 당연히 특별한 이름이 등장한다. 정력에 좋은 혼합음료는 '침대서전투'[23]라 불린다. '침대서

23 Guerrenlit침대에서의 전투란 뜻인 Guerre en lit를 띄어 쓰지 않고 붙인 말

평화'는 잠이 오게 하는 혼합음료이며, '침대서빠른'은 겨울에 체온을 보호해주는 혼합음료다. 이 혼합음료들은 사실 칵테일과 별반 다르지 않다.

최종적으로 완성된 요리에는 또 다른 무언가를 연상시키는 이름을 붙였다. '아드리아노폴리스Adrianopolis의 폭발'이라는 어딘가 암시적인 이름의 이 요리는 달걀, 올리브, 풍접초 꽃봉오리, 안초비, 버터, 쌀, 우유를 재료로 만든다. 이 재료들을 잘 섞어서 공 모양으로 만든 다음 빵가루를 묻혀 튀긴다. 비행기에 대한 미래주의자들의 사랑은 여러 음식에서 드러난다. 앞서 언급한 '이륙 시 윙윙거리는 소리'는 시실리산 포도주 마르살라와 오렌지를 곁들인 송아지 고기 리조또다. '송아지 고기 동체'는 카카오로 덮어 쪄낸 밤과 양파로 만든 비행기 동체 안에 송아지 고기 절편을 걸어 만든 음식이다. '매운 공항'은 마요네즈, 녹색 채소, 오렌지를 바른 작은 빵, 과일, 안초비, 정어리를 넣은 러시안 샐러드다. 이 모든 요리들은 바닥에 싱싱한 샐러드를 깔고, 그 위에 비행기의 모양으로 커팅 되어 놓인다. 그밖에도 '리비아 비행기', '하늘의 그물망', '소화를 돕는 착륙' 등이 있다.

"설탕을 넣어 끓인 밤 퓌레purée와 말린 바닐라 막대로 산과 비행기를 만들어라. 그 위에 쪽빛 아이스크림으로 하늘을 만들고, 부러진 파스타로 비행기의 기다란 자취를 만들어라."

'직관적인 송아지 고기'나 '녹색 섬광에 우유', 또는 '태양에 빛나는 이탈리아인들의 젖가슴', '식용 가능한 스키어skier', '동물학적 스프', '이혼한 달걀'……. 이런 이름들을 보고 있으면 에릭 사티가 붙인 재미난 음악 작품의 제목들이 생각난다.

실제로 미래주의자들이 주최한 만찬은 넘치는 장난기와 광란의 실험정신이 만나 진정한 의미의 해프닝을 일으켰다. 이상적인 모범 케이스가 되길 원했던 이 공식 만찬에서 마리네티는 모임에 활기를 불어넣고, 동석자들에게 즐거움을 선사하려면 다소간의 외설적 농담도 필요하다고 생각했다. 단, 진부한 농담은 피해야 한다. 그런데 그는 이 두 가지를 구별하는 법까지는 알려주지 않았다.

자, 식탁 위에 요리가 올라온다. '식인종이 제네바에

등장하다'라는 이름의 이 요리는 각자의 상상력을 발휘해 여러 가지 생고기를 자른 다음 거기에 조미료, 향신료 또는 와인을 넣어 맛을 낸 요리다. 다음으로 '국제연맹'이 나온다. 이 요리는 가운데에 작고 검은 소시지들과 막대 모양 초콜릿들이 떠있는 일종의 영국식 크림이다. 음식을 맛보는 중에 "테이블 밑에 앉은 열두 살 흑인 아이가 다리를 가볍게 쓰다듬고 여성들의 엉덩이를 꼬집을 것이다." 이제 식사는 '견고히 맺은 협정'이라는 케이크로 마무리 된다. 이 케이크에는 아주 작은 폭죽으로 채워진 다양한 색깔의 누가nougat가 들어있다. 이 자잘한 폭죽들이 터지면서 실내에 전쟁의 냄새를 퍼뜨린다.

이 공정을 다 마친 뒤 요리사는 손님들에게 이 기념비적인 케이크를 망가뜨려 죄송하다며 30분 동안 간곡히 용서를 구할 것이다. 막 술 기운이 올라오기 시작한 누군가가 케이크 폭파 현장으로 술을 가져오라고 한다. 마리네티는 이렇게 썼다.

"그 분에게 양적으로나 질적으로 가장 좋은 이탈리아 와인이 제공될 겁니다. 하지만 조건이 있습니다. 두 시간 동안 군비 축소, 조약의 개정, 그리고 경제적 위기 문제에 대한 실현 가능한 해결책을 제시해야 합니다."

삐걱거리는 민주주의를 이렇게 음식으로 패러디한 미래주의자들. 그들의 극단적인 현대성에 무솔리니가 매료되지 않았을 리 없다. 마리네티는 이런 종류의 수많은 메뉴를 제시했다. 가치 전복을 꿈꾸는 진지한 의도와 비웃음, 유머 사이의 그 어디쯤에서.

이런 식으로 경제에 관한 식사, 사랑에 관한 식사, 결혼에 관한 식사들이 등장한다. 미혼남녀의 식사, 이틀에 걸친 단식 뒤에 향기로 배를 채운 극단주의자들의 식사, 이 식사 시간은 한결같이 공중시학적 aéropoétiques이며 촉각적이고, 지질학적이며 신성한 의식들이었다.

사실 마리네티는 전통적인 식문화에 반하여 이 특이한 요리법을 도입하려는 의지가 너무 과한 나머지 과오를 범한 것인지도 모른다. 그는 비진화론적 회고주의자들로 인해 훼손될 뻔한 현대성을 세련되게 가다듬었다. 적어도 그는 그렇게 믿었다. 하지만 그가 전통 식문화를 위반하면서 저지른 일들은 실은 고대 또는 중세에 이미 행해졌던 일들이다. 마리네티는 그것을 다시 살려낸 것뿐이었다. 결국 그는 음식 혁명이라는 기치를 내걸고 음식의 역사적 반동을 위해 싸운 것이다.

프랑스의 위대했던 17세기 후반부에 그야말로 '단짠'의 조합을 증언하는 음식 기록이 있다. 대추야자, 과일 잼과 결혼한 생선, 산딸기를 넣은 수프가 이미 존재했던 것이다. 그 후로 사람들은 그 유명한 '오렌지에 오리고기', '파인애플에 닭고기' 등을 생각해낸다. 그밖에도 마시알로Massialot는 1691년 자신의 요리법에 고기와 생선의 조합을 기록해 놓았는데 그것은 굴을 곁들인 오리고기였다. 1739년에 마랭Marin은 송로버섯에 굴과 송아지의 황금색 털 몇 가닥을 조합했다. 결국 역사는 이처럼 질서를 어지럽히는 해프닝들이 여기저기서 시시때때로 일어났음을 알려준다. 멕시코의 전통 명절요리는 칠면조와 초콜릿의 조합으로 만들어진다. 스페인 사람들은 향수, 향료, 초콜릿을 넣은 탕 속에 바닷가재와 닭고기를 섞는다. 양파, 정향, 샐러리, 후추, 고추, 토마토, 땅콩, 마늘, 소금 그리고 카카오와 함께.

오늘날에도 누군가는 사냥한 고기에 과일과 붉은 앵두 잼을 곁들여 요리한다. 예를 들면 사과와 까치밥나무 열매 젤리를 곁들인 노루고기 요리가 있다. 노르망디에서도 영불해협 쪽에 있는 디에프Dieppe에서는 닭고기와 생선을 커다란 냄비에 끓여 포토푀를 만들어 먹는다. 대지와 바다의 맛이 섞인 요리다.

소고기 요리에 카네이션을 곁들이라고 권하는 미래주의적 형식 파괴가 일부 채식자들의 레시피에서도 발견된다. 채식주의자들은 삶은 달걀에 데이지 꽃 샐러드를 준비하라고 권한다. 같은 방식으로 그들은 가지꽃, 한련꽃, 장미꽃, 아카시아꽃, 제비꽃 그리고 라벤더 꽃을 요리한다.

망상과 신선함의 경계를 오가며 세상을 뒤흔들고자 했던 코페르니쿠스적 혁명 의지는 사실 요리 역사의 관점에서 볼 때 과거의 해프닝을 재현한 것일 뿐이다. 7~80년대의 새로운 프랑스 요리법도 사실은 그 유래와 원천을 숨긴 채 등장한 것이었다. 믿기지 않게도 현대의 요리법들은 중세의 레시피를 그대로 베껴온 것이었다. 까치밥 나무열매에 달고기흰 살, 또는 딸기 수프가 그런 예들이다. 정말로 무지하지 않다면 어떤 식습관도 완전히 새롭다고 주장하지는 못할 것이다. 모든 것은 늘 준비되어 왔고, 사람들은 준비된 것을 삼켜왔다. 입은 역사의 장소이며 역사는 영원한 재시작일 뿐이다. 실로 영원 회귀를 드러내는 음식학이다.

08
돌아온 바닷가재의 복수

사르트르

사르트르는 갑각류라면 질색을 했다. 그리고 갑각류들은 그에게서 받은 모멸감과 적대감을 고스란히 되돌려주었다. 『작별의 예식』[24]에서 보봐르가 사르트르에게 어떤 음식을 좋아하고 어떤 음식을 싫어하는지 묻는 장면이 나온다. 사르트르는 망설임 없이 대답한다.

"갑각류, 굴, 조개."

24 시몬느 드 보봐르가 사르트르와의 마지막 10년을 기록한 책.

그는 갑각류를 마치 몸서리쳐지는 벌레처럼, 다른 우주에나 존재할 법한 괴물처럼 묘사한다.

"나는 갑각류를 씹을 때 다른 세계의 것을 씹는다. 그 하얀 살은 우리를 위한 게 아니다. 그것은 사람들이 다른 우주에서 훔쳐온 것이다."

사르트르는 갑각류에 대한 고찰을 계속 이어가며 이렇게 말한다. "그것은 무언가에 박혀있어 먹으려면 반드시 적출해야 한다. 나를 불쾌하게 만드는 건 바로 이 '적출'의 개념이다. 그 동물의 살은 껍질 속에 꽉 들러붙어 있어서 쉽게 발라낼 수 없다. 그 살을 먹겠다고 도구를 사용해야 한다는 점이 정말 불쾌하다. 이것은 캐내야 하는 광물과도 같은 것이다."

조개 요리에 대해서도 사르트르는 그 요리와 원재료가 지닌 특성을 따로 떼어 생각할 수 없었다. 끈적끈적한 점액질로 가득 차있는 생물이 거의 채소와 같은 형태로 존재한다는 바로 그 점이 그에게 그토록 혐오스러웠나 보다. 굴, 조개, 홍합은 "살짝 꿈틀댄다는 점에서 유기체로 구분할 수 있다. 아니, 점액질의 살과 이상한 색깔, 살 속에 약간 벌어진 구멍이 좀 혐오스러운데 바로 이런 점에서만 유기체로 구별해낼 수 있다."
곧이어 사르트르는 가히 '구멍의 형이상학'이라 부를
만한 사상의 토대를 제시한다. 『전쟁수첩』 군데군데
에서 그는 구멍을 항문성, 벌어진 상태, 그리고 쾌락과
연관시키는 프로이드의 이론을 약간 표절한다. 간단
히 말하면, 그는 구멍을 '꼭 채워야 할 대표적 결핍'으
로 여긴다. 그는 '구멍에 대한 숭배는 항문에 대한 숭
배에 앞서는 것'이라는 자신의 주장을 열정적으로 개
진한다. 그리고 쑥스럽게도 이 구멍론으로 마음껏 몇
페이지를 가득 채운다. 1939년 12월[25], '인간을-위한-
구멍들'의 형이상학은 음식의 문제를 회피한 반면 『존
재와 무』에서는 음식의 문제를 무시하고 넘어가지 않
았다. 사르트르의 주요 저서에서 음식은 정식으로 현
상학적 분석의 형식 아래 등장한다.

> 채우고자 하는 경향은 (…) 분명 먹는 행위에 토대를
> 둔 경향들 가운데 가장 근본적인 것이다. 음식은 입을

25 1939년 사르트르는 2차 세계대전 참전에 징집되었다가 1940년 포로가 되어
1년 뒤 풀려났다.

메우는 '반죽'이다. 먹는 것, 그것은 무엇보다 구멍을 채우는 행위다.

이를 철학적 용어로 다시 쓰자면 "구멍을 채우는 것, 그것은 애초에 존재의 충만함이 현존하도록 내 몸을 희생하는 것이다. 즉 조형하고 보완해서 즉자(의식을 통해 자신을 자각하지 못한 채 그대로 존재하는 것)의 총체성을 보전하기 위해 대자(의식적 존재)의 정념에 따르는 것이다."

구멍을 채우는 것, 그것은 먹는 것만큼이나 교미를 의미한다. 사르트르는 '여성 성기의 음란함'에 대해 말하는 것은 주저하지 않았지만 먹는 데 쓰는 입, 맛을 구분하고 냄새를 구분하여 그 물질이 무엇인지 알려주는 입에 대해서는 결정적으로 아무 말도 하지 않았다. 물론 그는 열망하고, 삼켜버리고, 흡수하고, 꼭 껴안는 성기는 분석했다. 두 구멍의 유사성은 이렇게 강조된다.

"의심의 여지없이 성기는 입이다. 남근을 삼키는 탐욕스러운 입."

만약에 이 명제의 두 항을 바꿔 모든 입 안에서 성기를 볼 수 있다고 한다면 불편해하지 않을 사람이 있을까? 이 문장에서 성기를 항문으로 대체해도 그와 같은 농담이 성립될까? 아마 그럴지도 모른다. 시몬 드 보봐르가 남긴 이야기 덕분에 우리는 사르트르가 먹는 문제를 어떻게 이해하고 있었는지 쉽게 이해할 수 있다. 성기와 입은 등가다. 사르트르의 동반자가 밝히고 있는 다음과 같은 문장에서 그 흔적을 찾아볼 수 있다. "확실히 사르트르는 성행위에 특별히 흥미를 느끼지 않았다." 『계약결혼』(원제는 '나이의 힘')에서 그녀는 다음과 같이 썼다. "나는 자신의 몸을 마치 가로무늬 근육 다발처럼 대하는 사르트르를 비난했다. 심지어 그는 자신의 교감신경계를 끊어 버린 듯 했다."

곧이곧대로 말하자면 사르트르가 자신의 몸을 대하는 방법은 자기에 대한 경멸과 몸에 대한 부정을 드러낸다. 이 철학자는 정녕 이데아와 정신은 우월하게 여기지만, 묘비와도 같은 신체는 모든 훌륭한 원리를 가둬 놓은 사악한 상자로 여기며 혐오한다. 정신의 우월과 신체의 경멸이라는 점에서 그는 분명 플라톤적 전통 안에 있다. 물론 마지못해, 어쩔 수 없이 그렇게 된 것일 수도 있다. 달나라에 사는 지성, 현실감각을 잃고 사는 정신이라면.

이 실존주의 철학자에겐 위생관념이란 게 아예 없었다. 썩은 물질에 떠밀려 자기 자신을 포기했다는 말밖에는 달리 적절한 표현을 찾기 어렵다. 사르트르가 얼마나 비위생적이었는지를 잘 보여주는 일화들이 있다.

자신이 육체를 지닌 존재라는 사실을 까맣게 잊고, 몸뚱이를 경멸하며 온갖 쓰레기 속에 방치해두는 것도 능력이라면 능력이랄까. 독일에 있을 때 그는 더럽고 악취 나는 것들을 한 곳에 모아 두었다. 그의 전기를 보면 '악취를 풍기는 방'과 '길 건너에 10수만 내면 마음껏 이용할 수 있는 온천이 있지만 전혀 씻지 않고 지낸' 몇 주간의 이야기가 자세히 수록되어 있다. 이로 인해 그는 '검은 장갑을 낀 사나이'란 별명을 얻었다. "손가락 끝에서부터 팔꿈치까지 때가 까맣게 껴서 그런 별명을 얻은 것이다."

신체의 요구에 일일이 따라야만 한다는 것이 늘 그에게 혐오와 경멸을 불러일으켰다. 보바르는 그가 건강을 유지하는 동안에는 신체의 요구로부터 늘 벗어나 있었다고 전한다. 그러나 건강을 잃게 되었을 때 그는 동반자가 놀랄 만큼 몸의 명령을 숙명처럼 충실히 따랐다. 자신도 다른 인간들처럼 육신의 힘에 지배되는 존재라는 사실을 고스란히 받아들인 것이다. 그는 소파에 온몸을 맡겨야 했을 때도 한 치의 수치심 없이 편하게, 기꺼이 자포자기했다.

위생을 잊고 지낸 그는 신체의 리듬도 무시하고, 식사라는 문화적 양식을 통해 자연적인 욕구를 다스려야 할 필요성조차 잊고 살았다. 사르트르의 식사는 양과 질 모든 면에서 형편없었다. 먹는 습관도 마찬가지였다.

"점심을 먹으러 나간다거나 저녁을 먹으러 나가는 일 따위에 나는 전혀 관심이 없다. 빵으로 배를 채우건 빵 없이 샐러드로 한 끼를 때우건, 아니면 하루 이틀 밥을 굶건 나에겐 하등 상관이 없다."

보봐르는 그가 뭐든지 아무 때나, 그리고 아무렇게나 먹었다고 말한다. 사르트르는 자기 몸을 경멸하는 데서 그친 게 아니라 신체 일반을 경멸했다. 이에 관하여 『존재와 무』에서 그는 설득력 있는 예들을 끊임없이 제시했다. 아픈 다리, 의사의 메스에 의해 해부된 눈, 폭탄으로 찢겨진 신체, 부러진 팔, 시체, 복통, 두통, 속 쓰림, 손가락 저림, 눈의 쓰라림….

사르트르에게 육체란 무엇보다 아프고, 손상되고, 학살되고, 알아보기 힘든 육신이다. 맛을 보고 쾌락을 즐기는 몸, 즐거운 몸, 전율이나 기쁨을 느끼는 몸과는 거리가 먼, 고장 나거나 썩고 쇠약한 고깃덩어리…. 이처럼 썩은 고기, 피, 배설물을 세세하게 논하면서 사르트르는 구토, 즉 게워냄의 개념을 발전시킨다. 마찬가지로 쥐가 파먹은 듯 보이거나 안이 살짝 썩어 보이는 위궤양에 대해서도 그는 설명을 늘어놓았다. "나는 그게 농양, 수포, 고름, 하감 등과 비슷하다는 걸 알 수 있었다." 신체를 매개로 알게 되는 '대타존재'(타자의 의식 속에 대상으로 인식되는 존재—옮긴이)는 웃음도 아니고 유혹하는 눈길도 아닌, 땀내의 양상으로 나타난다. 신체에 대한 비유에는 거미줄이 쳐져 있고 타인의 얼굴은 구토를 유발한다. 자기 얼굴은 너무나 창백한 나머지 자신의 살에 대한 혐오를 상기시킨다. 도구를 다루기 위한 도구로서의 신체란 그저 욕망도, 즐기고자 하는 의지도 없는 기계다.

자기 자신을 경멸하고, 제 몸을 사물로 사용하는 그의 태도는 곧 술과 담배라는 두 개의 얼굴로 나타나며 자기 증오라는 주제 또한 계속해서 변주된다. 애니 코헨 소랄[26]은 사르트르가 하루에 흡입한 것들을 기록했다. "옥수수 종이로 감싼 보야드Boyard 담배 두 갑, 갈색 담뱃잎이 꼭꼭 담긴 여러 개의 파이프, 1리터 이상의 알코올(와인, 맥주, 투명한 술, 위스키 등등), 암페타민 200 밀리그램, 아스피린 15그램, 바르비투르산제 몇 그램, 몇 잔을 마셨는지 셀 수 없을 만큼의 커피와 차, 그리고 기름진 음식들."

『존재와 무』를 집필한 뒤 『변증법적 이성비판』을 쓸 무렵에 이 대가는 저렇게 먹고 마시고 피워댄 것이다. 또 그는 아스피린과 암페타민이 섞인 각성제 코리드란Corydrane을 하루에 한 튜브 이상 복용했다.

26 Annie Cohen-Solal(1948~); 사르트르 전기 작가. 알제리에서 태어난 유대인으로 알제리 전쟁 중 프랑스로 이주한 디아스포라.

사르트르는 의심할 여지도 없이 알코올중독이었다. 보봐르의 기억 속에 그는 늘 취해 있었다. 술과 관련한 가장 유명한 일화는 모스크바에서의 일이다. 1954년 봄, 그녀는 사르트르가 열흘 정도 입원하기를 바랐다. 호의적인 전기 작가들도 그 당시 이 소비에트 숙박객의 고집을 비난한 바 있다. 나중에 의학적인 진찰 결과가 나왔을 때 비로소 사르트르는 술을 끊어야 한다는 사실을 깨닫는다. 그리고 이렇게 썼다. “육십 년 내 인생에 작별을 고한다.”

코리드란을 두 튜브씩 복용하던 시절, 사르트르는 알코올중독을 현상학적으로 분석해냈다. “이렇게 고독하게 취하는 것이나 대중의 리더가 되는 것이나 마찬가지 아닌가. 이런 활동 가운데 하나가 다른 것의 우위에 있다면, 이는 그 활동의 현실적 목표 때문이 아니라 그 활동이 이상적인 목표로 삼는 의식 수준 때문일 것이다. 그렇다면 술에 취해 빠져버린 고요한 정적이 대중을 이끄는 공허한 선동보다 더 우월해지는 일이 발생한다.”

그것을 구태여 증명하고 싶었던 걸까? 그렇든 아니

든, 사람들이 그에게 금주를 권했던 1973년에 사르트르는 잡지 「시사」Actuel의 한 기자에게 몇 개의 단어—테러, 비합법, 무장 폭력—로 파악될 수 있는 자신의 정치적 프로그램을 털어 놓았다.

> 혁명적 체제는 자신을 위협하는 몇 명의 개인을 버려야만 한다. 그 개인을 버리는 방법이란 죽음 말고 다른 것일 수 없다. 감옥에 가둬도 언젠가는 나온다. 1793년의 혁명가들은 사람들을 충분히 죽이지 않았던 것 같다.

알코올중독의 위험이란….

일흔 세 살에 사르트르는 뇌 산소결핍증이라는 진단을 받았고 이로 인해 질식을 일으켰다. 동맥과 소동맥의 상태는 심각했다. 알코올과 담배가 문제였다. 『존재와 무』에서 사르트르는 담배에 관한 간략한 이론을 제시한다. 담배를 피운다는 것은 어떤 의식을 수행하는 것이요, 몸짓을 연극화하는 것이며 행위를 의식화하는 것이다.

담배를 피운다는 것은 파괴적 전유[27] 반응이다. 담배는 전유되는 존재의 상징이다. 왜냐하면, 담배는 내 호흡의 리듬에 따라 타들어가고 나를 거쳐, 상징적으로 고체에서 연기로 변하면서 자기 자신의 변화를 상징적으로 보여주기 때문이다.

사르트르가 명명한 일종의 '소각의 희생'은 인간성의 온전한 희생 제의이자, "세계 전체의 전유적 파괴다. 내가 피고 있는 담배를 통해 그러한 파괴가 일어난다. 내 안에 들어오기 위해 담배는 기체로 빨아들여 진다. 불타서 연기가 되는 것, 기체가 되어 내 안에 흡수되는 것은 세계였던 것이다."[28]

흡연과 음식을 먹는 것은 같은 논리를 따르는 두 가지 방식이다. 실제로 맛은 없는데 혀의 미뢰를 자극하는 능력을 지닌 담배는 음식의 마법 같은 대체물이다. 물론 잡히는 것도 없고 홀연히 사라지는 것이지만.

27 appropriative, 스스로 파괴되면서 대상을 자신의 것으로 삼는.

28 이 파괴의 과정에서 담배는 흡연자의 내부에 세계, 현실, 시간의 풍경으로 변한다.

사르트르에게 알코올과 담배라는 자극제는 자기 자신을 서서히 파괴하는 병기로서 충분치 않았던 모양이다. 자기 몸과 떨어져 보려고 메스칼린을 복용했다는 사르트르의 이야기는 흥미롭다. 사르트르가 밝힌 메스칼린 복용의 이유는 철학적이다. 그는 이미지의 생성에 환각제가 어느 정도 영향을 미치는지 직접 알고 싶어 성 안나 병원의 의사 라가쉬Dr. Lagache에게 조언을 구한다. 그리하여 마침내 의학적 통제 아래 여덟 시간 정도의 약효를 발휘하는 주사가 그의 몸에 투여되었다. 그는 『상상계』에 그 효과를 자세히 기술해놓았는데, 보봐르는 사르트르가 겪었던 환각상태를 이렇게 표현하고 있다.

"그는 자기 옆구리에서 등 뒤로 게와 낙지 같은 온갖 쭈글쭈글한 것들이 우글거린다고 했다."

이른바 갑각류의 역습이다. 사르트르는 바닷가재에게 쫓기고 있다고 믿었다. 그때 보봐르는 사르트르와 전화통화를 하면서 이런 식으로 사태가 전개되는 것을 걱정했으나 여전히 약에 취해 있던 사르트르는 흐리멍덩한 목소리로 계속해서 보봐르에게 환각상태를 전달했다. 그는 “전화 통화를 하면서 간신히 문어와의 전투에서 벗어났다. 물론 그 전투에서 그가 승리하지는 못했지만.” 해산물의 승리.

어느 정도 시간이 흐르고, 이제 메스칼린 효과도 다 떨어졌으나 상황은 바뀌지 않았다. 길을 걷고 있던 사르트르는 “바닷가재 한 마리가 뒤를 종종걸음으로 쫓아온다.”는 환상에 또 다시 빠졌다. 보바르는 이것이 단순히 환각제의 잔류 효과 때문만이 아니라 메스칼린 투약과 상관없이 그가 행동 신경 장애로 고통을 받고 있다고 판단했다. 사르트르는 소설 『구토』에서 주인공 로캉탱을 수족관에 자주 드나드는 인물로 만들면서 어린 시절에 보았던 동물 우화집을 떠올렸을 것이다.

“사람들이 비둘기 고기를 올린 카나페canapé에 쓸 것 같은 바싹 구운 빵조각으로 몸이 만들어진” 동물들로 얼마간 채워져 있었다. “그 동물은 게다리를 가지고 옆으로 걸었다.”

이 사상가의 여러 작품들 속에는 갑각류가 눈에 띄게 반복적으로 등장한다. 가령 『말』에서 사르트르는 이런 장면을 묘사하고 있다. 아이의 시선은 달력의 그림에 놓인다. 달빛 아래 강변이 그려져 있었고, 물에서 길고 꺼칠꺼칠한 집게손이 튀어나와 술꾼을 낚아채 어두운 못으로 끌고 들어가 버린다. 사르트르는 다음 질문을 던지며 장면을 마무리 한다. "이것은 알코올성 환각인가? 지옥의 입구가 갈라진 것인가?" 사르트르는 "물을 무서워했고, 게와 나무들을 무서워했다." 여기서 우리는 『구토』에 등장하는 마로니에 나무뿌리의 역할을 떠올려 볼 수 있다.[29]

이렇게 불길한 흔적으로 남은 이미지들의 여파가 증폭되는 날이면, 사르트르는 어슴푸레한 자기 방에서 끔찍한 장면들을 자주 재연했다. 지하나 해저 같은 공간에서 괴물 같은 존재가 수면 위로 솟구쳐 올랐다.

"불의 눈을 가진 문어, 20톤의 갑각류, 말하는 거대 거미, 어린애 같은 괴물, 그건 나였다. 그건 내가 느낀 삶의 권태, 죽음에 대한 두려움, 내가 짊어져야 할 짐, 그리고 나의 악덕이었다."

그밖에 그의 희곡 『알토나의 유폐자들』에서도 게가

29 [구토]의 로캉탱은 마로니에 나무를 보면서 자신의 구토 원인을 깨닫는다. 존재는 우발적인 사건이지 나무의 뿌리처럼 연결되어 있는 것이 아니다.

등장하여 두 인물이 뒤바뀌는 계기를 제공한다. 그 중 한 명은 인류의 첫 번째 계획이 실현될 때 십각류의 도래를 예견한 인물이다.

"그들은 다른 신체를 가지게 될 것이다. 따라서 다른 생각을 가지게 될 것이다."

그렇지만 갑각류는 조촐한 승리를 거뒀을 뿐, 사르트르의 이론적인 작업까지 들러붙지는 못했다. 적어도 실존적 정신분석의 대상으로 등장하지는 않는다. 단지 음악을 설명할 때 부차적인 역할로 잠시 등장할 뿐이다.

먹는 것에 대해 아주 단호했던 이 현상학자는 음식과의 관계가 곧 세계와의 관계라는 것을 잘 알고 있었다. 그의 분석은 세계 전체에 대해서는 타당하다. 하지만 그의 분석이 미치지 못하는 미지의 영역이 있음을 잘 알고 있었다. 사르트르는 이것을 논하기 위해 이런 저런 예를 든다… 『존재와 무』에서 그는 다음과 같이 썼다.

굴이나 대합류, 아니면 달팽이나 새우 따위를 좋아한

다는 것은 우리가 조금이라도 이런 음식의 실존적 의미를 분별해낼 수 있다면 전혀 사소한 일이 아니다. 일반적으로 확고부동하고 불변하는 취향이나 경향이란 없다. 이들은 모두 존재가 내리는 대략적 선택을 나타낸다. 그것들을 비교하고 분류하는 것은 실존적 정신분석이다.

당신이 먹는 것을 나에게 말해 달라. 그러면 당신이 어떤 사람인지 말해줄 테니….

사르트르는 좋아하는 음식이 거의 없다고 토로했다. 해산물에 대한 솔직한 반감 이상으로 그는 토마토 역시 싫어했다. 그 산성의 속살 때문에. 그는 일반적으로 채소라 불리는 것들도 좋아하지 않았다. 물론 조개류보다는 채소류들이 최소한의 의식을 가진 존재라고 느끼긴 했지만. 또한 절대로 날 것 그대로의 과일을 먹지도 않았다. 우연의 산물인 것, 그리고 인간의 손길에서 너무 동떨어진 것은 좋지 않은 것이다. 이 철학자는 요리에 들어간 과일은 좋아한다고 밝혔다. 예를 들어 제과류에 들어간 과일들. 그는 오로지 인간이 만든 음식, 기술이 들어간 음식, 문화적 양식에 따라 만들어진 음식만 접했다. 대표적인 안티 디오게네스인 그는 자연적인 것을 증오했으며 오직 가공된 제품, 인공적인 것만을 좋아하는 취향을 지녔다.

"음식은 인간의 노동으로 만들어져야 한다. 빵이 그렇다. 빵이란 인간과 인간 사이의 관계라고 할 수 있다."

그는 오랫동안 고기를 먹었지만, 채식주의자들의 의견에 동의하면서—짐승의 살을 먹는 것은 시체를 목에 밀어 넣는 행위다—육식을 그만두었다. "그럼 당신은 무엇을 좋아하나요?" 보봐르의 질문에 사르트르는 이렇게 대답했다. "고기와 채소, 달걀 중에서 몇 가지는 좋아합니다. 돼지고기 말린 것을 무척 좋아했지만 지금은 좋아하진 않습니다. 내 생각에 인간은 완전히 새로운 것들, 가령 앙두예트[30], 앙두이[31]나 소시지 등을 만들기 위해 고기를 사용했던 것 같습니다. 이 모든 것은 오직 인간에게

30 andouillette 내장, 막창으로 속을 넣은 소시지의 일종으로 특유의 역한 냄새로 유명하다. 세계 10대 음식에 꼽힌다.

31 andouille, 돼지 위로 속을 채운 소시지.

만 존재하거든요. 피는 특정한 방식으로 얻어서 일정한 방식으로 처리되고, 그것을 익히는 것 역시 인간에 의해 발명되어 잘 다듬어진 요리법입니다. 사람들은 소시지 양끝을 실로 묶어 모양을 만들었는데 내가 보기에도 구미가 당기는 모양새입니다."

돼지고기 가공 음식은 피와 살, 지방 등 날것인 재료를 변형시켜 먹기에 적합하게 개선시킨다. 이 요리는 구성 성분들 가운데 정제되지 못한 부분을 탈바꿈시켜 주어진 것을 초월하는 일종의 연금술이다. 요리는 일련의 기호화된 작업, 문화적인 작업, 장인의 작업을 거쳐 하나의 작품으로 완성된다. 디오게네스의 상징물이 산낙지라면 사르트르에게는 앙두이Andouille를 꼽을 수 있다. 붉은 살코기는 아무리 잘 손질해도 거기엔 피가 가득 남아있다. 하지만 "하얀 알갱이들과 선홍빛으로 볼록한 살을 지닌 소시지 혹은 앙두이, 그것은 원래의 그것과는 완전히 다른 것이다."

사르트르는 말년에 이르러 일과와도 같았던 '라 쿠폴' 식당에서의 점심과 보바르가 이끄는 대로 어디든 함께했던 저녁의 의식을 모두 포기했다. 저녁은 '파이한 조각, 아니면 뭐든지 한 조각' 정도로 만족했다고 한다. 실명에 이어 입술이 무감각해졌고 이빨이 빠졌다. 여기에 노화까지 겹쳐 소스와 음식으로 자기 얼굴을 더럽혀가며 끼니를 입에 넣었다. 주변의 도움 따윈 완강하게 뿌리치면서.

사르트르는 기름진 음식을 먹는 편이었고 주로 "소시지류, 슈크루트, 초콜렛 케익, 그리고 1리터의 와인으로 차려졌다." 호두와 아몬드는 혀에 상처를 입혔다. 파인애플은 그가 싫어하는 과일류에 속하지만 그나마 익힌 음식과 유사하다는 이유로 파인애플은 좋아했다.

"모든 음식은 상징이다." 꿀, 당밀, 설탕은 그가 보기에 끈적이는 것과 관련이 있다. 상징주의적 교감을 차용하면서 사르트르는 낯선 공감각에 대해 이야기 한다. 『존재와 무』에 그는 이렇게 썼다. "내가 분홍 케이크를 먹는다면 그 맛은 분홍의 맛이다. 약간 달달한 냄새와 버터를 넣은 크림의 미끈거림이 분홍이다. 이렇게 해서 나는 설탕인 양 분홍을 먹는다."

이탈리아 여행에서 사르트르는 뜻하지 않게 이와 유사한 경험을 한다. 예를 들어 '제노바의 궁전에 이탈리아 케이크의 맛과 색깔'을 연결시킨다. 사르트르식 이미지의 결합은 실존적 정신분석에 해당된다. 이 분야를 창시한 사람이기에 적어도 그렇게 말할 수 있다. 끈적이는 것, 걸쭉한 것, 기름진 것, 소화가 잘 안 되는 것, 단단한 것, 유동적인 것에 대한 취향, 이 모든 것은 분명하게 의미를 드러낸다.

구토는 희끄무레한 것, 물렁물렁한 것, 미지근한 것, 진흙의 양상으로 나타난다. 그러나 우연성과 사실성[32]이 지양止揚되면 그것을 검고, 단단하고 차가운 것이라 부를 수 있다. 사르트르에게는 사물을 광물화하고자 하는 욕망, 썩고 소멸하는 범주에서 벗어나 화석이 되고자 하는 욕망이 있었다. 플라톤주의가 다시 땅 위로 솟아나는 듯하다. 사르트르에게 현실은 순간과 본질로, 떠오르는 것과 가라앉는 것으로 나뉘어 있다. 물 밖에는 가상 세계가 있고 그것은 이미지, 뿌리, 대상, 사물로 만들어진 환영이다. 그리고 물속에는 존재의 진리가, 세계의 참된 본성이 있다. 『구토』의 한 대목을 보자.

32 우연성과 사실성은 사르트르 실존주의 철학의 주요한 두 개념.

그리고 물 밑에는? 넌 물 밑에 뭔가 있을 것이라고는 생각해 보지 않았나? 짐승? 진흙 속에 반쯤 박힌 커다란 갑충류일까? 다리 열두 짝이 천천히 바닥을 판다. 그 짐승은 가끔씩 몸을 살짝 들어 올린다. 물 밑에서.

이런 기형적인 환영은 그 환영을 품는 인간의 본성에 대해 어떤 단서를 제공한다. 현실은 단지 우리가 지각하는 내용으로 이루어졌을 뿐이고 지각은 주체에 달려있다. 그렇다면 현실은 감각, 이미지, 취향의 상대성만으로 이루어져 있을 것이다. 『존재와 무』는 다음과 같이 밝히고 있다.

성질, 특히 물질적 성질, 물의 유동성, 돌의 단단함 등 현실에 존재하는 것들은 어떤 '성질'을 가지고 있다. 존재의 양태라 부를 수 있는 이 성질은 특정한 방식으로 그 존재를 드러낼 뿐이다. 그러므로 우리는 존재가 드러나는 일부의 방식만을, 존재가 갖고 있는 일부의 성질만을 취하는 것이다. 노랑, 빨강, 토마토의 맛, 두 쪽으로 쪼개진 완두콩, 까칠까칠한 것과 부드러운 것,

이런 성질들은 우리에게 확고부동하게 주어진 사실이 전혀 아니다. 이 성질들은 존재가 우리에게 주어지는 방식을 상징적으로 나타낼 뿐이다. 그리고 우리는 우리의 호불호를 통해, 그리고 존재가 어떤 방식으로 표면에 드러나는지를 바라보는 주체의 시선에 따라서 그 존재에 반응한다.

취향은 주관성의 세계로 들어가는 통로이자, 개인이 체험하는 현실을 구성하는 한 부분이다. 주체의 세계관에 대한 정보를 제공하는 단서이면서 전체에 대한 기억을 지니고 있는 하나의 조각이다. 각각의 존재는 짠 것, 단 것, 쓴 것에 상징적인 무게를 부여하고, 이는 그 존재를 고유한 기투[33]로 나타낸다. 사르트르는 각각의 존재 안에서 공감각이 취향으로 굳어질 때 실제 일어나는 이 기이한 연금술을 기술한다. 취향이 어떻게 구성되고, 또 그 의미는 무엇인지를 탐구하는 것은 실존적 정신분석의 영역에 속한다.

33 실존 철학에서 현실에 내던져져 있는 인간이 능동적으로 미래를 향해 스스로를 내맡기는 것. 여기서 자유와 선택이라는 사르트르의 개념을 이해할 수 있다.

레몬, 물, 기름 등의 형이상학적 비율은 어떻게 될까? 피에르가 왜 오렌지를 좋아하고 물을 무서워하며, 그는 왜 토마토를 기꺼이 먹는 반면 잠두콩은 거부하는지, 어째서 그는 굴과 날계란을 삼키면 토하고 마는지, 이런 것들은 정신분석학이 언젠가는 분석해내고 싶어 하는 문제들이다. 이처럼 정신분석학이 마땅히 해결해야 할 수많은 문제들이 있다.

어떤 존재의 호불호를 통해서 우리는 그 존재의 진실에 다가갈 수 있다.

존재를 드러내는 다양한 상징들과 존재를 하나로 묶는 개별적인 관계로부터 시작해서, 자신을 고유한 인격으로 만들어 가기 위해 자유롭게 자신을 세상에 던지는 기투로 존재의 진실을 이해한다면 말이다. (…) 이렇듯 취향은 확고 불변하게 주어진 채로 있지는 않다. 만일 우리가 사람의 취향을 탐구할 줄 안다면, 취향이야 말로 인격을 이루는 근본적인 밑그림이라는 것이 밝혀질 것이다. 음식의 선호도까지 어느 것 하나 의미가 없는 것이 없다. 진정으로 깊이 있게 숙고해 보면 각각의 취향은 사람들이 구구절절 변명해야 할 터무니없는 정보가 아니라, 확실히 가치 있는 것으로 드러난다는 것을 깨닫게 될 것이다. 내가 마늘을 좋아하면, 누군가 마늘을 좋아하지 않는 걸 볼 때 이상하다고 여길 것이다. 사실, 먹는 것은 파괴를 통해 전유하는 것, 즉 자신의 것으로 삼는 것이다. 그것은 동시에 어떤 존재로 자신의 구멍을 메우는 것이다."

『존재와 무』에 실린 이 진술에 뒤이어 여러 문단에 걸쳐 우리가 먹기 싫어 거부하고 남에게 양보하다가 가루로 만들어버리는 초콜릿비스킷에 대한 언급이 이어지다가 결국 결론과 뒤섞여 버린다.

사르트르는 『말』에서 정말 많은 말들을 풀어 놓았다. 그 많은 말들 중에 이런 말도 있다. 그가 세계 내에 존재하던 최초의 방식은 추함이었다고. 이 추함은 그가 미용실에 갔던 장면에서부터 드러난다. 예컨대 다른 이의 시선을 받을 때마다 아이는 스스로 작은 몸집, 발육 부진, 허약함에 대해 콤플렉스를 느낀다. 이제 아이는 자기 모습이 마치 온갖 콤플렉스를 지닌 개구리처럼 느껴진다. '어느 누구의 관심도 끌지 못하는 왜소한 남자'였던 그는 무리에 어울리지 않고 타자의 개입을 거부하며 소외감을 겪었다.

여기서 우리는 사르트르의 삶, 그 기저에 깔려있는 본원적인 기투의 윤곽을 볼 수 있지 않을까? 이 전제로부터 그의 나머지 삶이 구축된 것일 수도 있다. 보봐르가 다 사라졌다고 분명히 알려주었던 그 환영을 다시 부여잡으며 사르트르는 끝내 바닷가재가 되었다. 그 삶의 결론을 대신하여 우리는 다음 문장을 인용할 수 있을 것이다.

"갑자기 나는 인간의 모습을 잃었다. 그들은 한 마리의 게를 보았다. 뒷걸음질 치며 도망가는, 너무나 인간적인 게를. 이제, 가면이 벗겨진 불청객이 달아난다. 그리고 영화는 계속된다."

바닷가재에 쫓기던 사르트르, 그는 자신의 이미지와 함께 걸었고, 자신의 그림자와 함께 걸었다. 조개를 경멸한 죄, 그 벌을 모면할 수는 없다. 가재에 대한 존경을 잊었던 한 남자를 조심하라!

09
뱃속의 행복

다들 지친 기색이다. 별별 음식들을 질리도록 먹었고, 이제 향연을 마칠 시간이다. 디오게네스의 향연에 초대되었던 여섯 철학자들 모두 의미 있는 발자취를 남겼다.

디오게네스는 음식을 제대로 이해하지 않고서는 자연을 따라 살아갈 수 없다고 강조했다. 그는 낙지를 집어 흔들며, 단순하게 살라는 견유학파의 가르침을 지키라고 다시 한 번 당부한다. 인공적인 것, 복잡한 것은 거부해야 한다. 결국 문명을 거부하라는 가르침이었다.

루키아노스가 베풀었던 만찬에서 동료에게 오줌 세례를 끼얹고, 또 오줌으로 사정거리 안에서 타고 있던 불을 죄다 꺼버린 사람. 이 항아리 속의 철학자는 현실의 프로메테우스적 요소들에 다시 한 번 매질을 가한다. 아무리 좋은 것이라도 자연적인 것을 넘어설 수는 없다. 자신의 연마법이 훌륭하다는 것을 거듭 확신하며 그는 돌 위에 놓여 있던 인간의 살을 한 점 떼 내며 다음 사람에게 발언을 넘긴다.

두 발짝 옆에서 디오게네스를 죽 지켜보던 사람, 신경쇠약증이 의심되는 루소가 입을 연다. 그는 우선 복잡한 것은 거부하고 단순한 것을 찬양해야 한다는 디오게네스의 발언에 동의한다. 하지만 고기는 반대다. 익힌 것이든 날 것이든 고기는 안 된다. 대신 그는 문명 세계를 거부하는 이들에게 딱 맞는 음식을 소개한다. 그것은 우유다. 이 순박한 제네바 시민은 캐리커처마저 영락없는 평민이다. 그는 자연을 완전한 상태라 여기고 거기에 신화적 위엄까지 부여한 후에 자연의 운동을 모방하는 삶을 예찬한다. 스파르타에 대한 환상을 지녔던 루소는 사회계약론을 연상시키는 음식 이론을 전개했다.

검소하고 금욕적인, 그러나 환상과 우연을 배제한 음식 이론, 간단한 톱니바퀴로 굴러가는 단순한 질서 속에서 더욱 단순한 기계가 되는 꿈…. 그는 난폭함 대신 부드러움을, 고기 대신 우유를, 문명 대신 자연을 노래했다. 그런데 하마터면 현실에 반하는 이 망상이 실제로 이루어질 뻔했다. 1789년에 채식주의를 공화주의가 따라야 할 덕목으로 격상시킨 사람들이 있었다. 그들은 채식주의를 장려하면서도 살육을 즐기는 자들이었다. 이들은 스파르타식 식문화와 정치 형태를 폭력적으로 강요했다. 근대의 출구에 등장하는 스파르타 모델…. 살이 잘 오른 암평아리 마냥 사상도 자유롭게 유통되기를 바랐던 어떤 볼테르주의자가 우려했던 점이 바로 여기에 있었다.

뭔가를 배우려는 듯 말없이 펜을 끼적거리는 학생 칸트는 제네바 철학자가 발언하는 동안 연신 술을 홀

짝거린다. 음식은 조금 술은 마음껏. 잔치에 활기를 주고 분위기를 돋우는 최고의 방법이다. 칸트는 루소에 대한 기록을 다시 훑어보며 그의 몇몇 분석이 타당하다는 결론을 내린다. 실은 쾨니스베르크의 이 늙은 선생이 쓴 교육학적, 인류학적 또는 역사적 텍스트들을 읽다 보면 『에밀』을 비롯한 루소의 여러 책들이 자주 연상되기도 한다.

알다시피 칸트는 점잖고 엄한 데다 건강염려증이 병적으로 심한 편이었다. 그런 그가 우리를 놀라게 했다. 자신이 살던 프러시안 마을의 거리에서 인사불성으로 취한 채 발견된 것이다. 쾨니스베르크는 옛 독일의 도시였지만 오늘날에는 칼리닌그라드라는 이름의 러시아 도시이다. 이 지방 사람들은 어쩌면 지금도 여전히 칸트의 습관을 따르고 있을지 모른다. 저물녘 항구의 거리에서 술에 취해 비틀거리며.

여기서 잠깐, 프랑스 혁명과 산업혁명기의 전환점에서 브리야 사바랭이나 그리모에 대해 몇 마디 했어야 했다. 먼저 그리모 드 라 레이네르, 이 사람은 먹을 걸 좋아하는 사람이라기보다는 따져 묻길 좋아하는 사람이었다. 그가 쓴 『맛의 생리학』은 철학적이면서 감각론적이며 다분히 문학적인 책이다. 그는 감각주의자인 콩디약Condillac과 맨 드 비랑Maine de Biran과도 그리 멀지 않다. 그는 미식 분석에 생리학, 의학, 화학, 위생학, 때로는 지질학이나 도덕 등 다방면의 지식들을 동원했다. 다음으로 브리야사바랭, 그와 더불어 음식을 글쓰기 대상으로 삼는 작가들의 시대가 열린다. 나아가 그 즐거움을 더 이상 부끄러워하거나 숨기지 않게 된 풍토 역시 그로부터 시작되었다. 자신의 저서에서 그는 행복을 우선순위로 삼아 쾌락을 향유하는 삶이 얼마나 훌륭한가에 대해 말하고 있다. 심지어 이와 관련한 이론과 시학까지 만들었다. 샤를 푸리에의 매제이기도 한 그는 음식 맛을 볼 줄 아는 사람이었으며 감각을, 보다 구체적으로는 맛을 사유하는 철학자였다. 그전에는 어땠는가? 과연 철학자들에게 코가 달려 있는지, 입은 있는지, 철학자란 존재는 감각기관이 없는 단순하고도 무감각한 기계인가 싶을 정도였다. 톱니바퀴와 작동 방식만 갖춰져 있으면 저절로 움직이는 보캉송Vaucanson[34]의 로봇처럼.

브리야사바랭은 그다지 돋보이지 않은 전통을 계승해 온 사람이다. 17세기 프랑스의 감각주의자, 자유사상가 그리고 에피쿠로스학파와 유물론자들의 계승자인 그는 근대성이 무엇인지 확실히 보여주는 관점을 펼쳐보였다. 몇몇 이름들이 더 필요하다면, 루드비히 포이어바흐, 아르투르 쇼펜하우어나 프리드리히 니체를 인용해야 할 것이다. 세 사람 다 유심론과 유물론이라는 이원론을 경멸했던 사람들이다. 이들 셋은 모두 '욕망하는 기계'[35]의 힘, 즉 역량과 생명력을 철학 체계에 포괄하는 데 관심을 두었던 '내재적 논리'[36]의 주창자들이다. 마찬가지로 우리 시대에 좀 더 가까운 들뢰즈와 가타리Deleuze et Guattari의 사유 안에 『인간 기계론』의 저자인 유물론자 라메트리La Mettrie의 사상이 담

34 자크 드 보캉송; Jacques de Vaucanson(1709~1782) 프랑스 발명가이자 예술가로 인상적이고 혁신적인 자동인형들을 만들었다.

35 들뢰즈와 가타리Deleuze et Guattari가 함께 쓴 『안티 오이디푸스』라는 저서에서 이들이 제시한 개념. 인간, 생명체, 사물 등 이 세계에 배치를 이루는 존재들에 적용할 수 있는 용어.

36 초월적 세계가 아니라 우리가 사는 지금 여기의 내재적 세계의 생성과 변화를 존재의 역량과 생명력을 통해 설명하는 철학적 논리

겨있다거나 이미 프로이트를 알고 있었을 어느 라메트리주의자의 생각이 실려 있다는 것도 간과할 수 없는 점이다.

우리가 엿봤던 여섯 철학자들의 이 향연에 브리야 사바랭과 그리모 드 라 레이네르도 틀림없이 함께했을 것이다. 뿐만 아니라 라메트리, 사드Sade, 마르게리트-마리Marguerite-Marie, 가상디Gassendi, 생 에브르몽Saint-Évremond, 라모스 르 베이에La Mothe Le Vayer도 빼놓을 수 없다. 그리고 가스통 바슐라르Gaston Bachelard와 미셸 세르Michel Serres도 분명 함께 앉아 있었을 것이다.

사드와 마르게리트-마리의 만남은 좀 특별하게 이루어졌다. 아이러니한 우연이 그들을 서로 마주보며 앉게 했다. 마치 상반되는 두 경향의 상징적 표현을 보는 것 같다. 정말 이상하다. 마주 앉은 성녀와 탕자에게서 우리는 그노시스학파의 기이하고도 당혹스러운 논리를 재발견하게 된다. 사막의 계시를 받은 그노시스학파는 몸이 탐하는 것을 스스로 금했다. 구걸하거나 풀을 뜯어먹는 등의 고행을 통해 그들은 저속한 살과 피에, 림프로 채워진 고깃 덩어리에 벌을 내렸다. 그들은 섭취와 소화, 음식의 배출과 순환이야말로 인간이 육신이라는 우연적 질서에 예속되어있다는 증거이므로 이를 극복해야 한다고 믿었다. 그들의 모델은 예수였다. 이에 대해 발랑탱Valentin은 이렇게 썼다. "그는 먹고 마시되 배설하지 않았다. 몸에 들어간 음식들은 금욕의 힘으로 썩지 않았다. 왜냐하면 그리스도의 몸 안에서는 어떠한 부패도 일어나지 않기 때문이다."

이쯤에서 다시 마르게리트-마리, 이 위대한 세기의 성녀에게로 돌아가 보자. 이 성녀는 대중들로부터 알라코크(Alacoque, à la coque: 굉장한, 멋진 — 옮긴이)라 불렸다는 사실을 지적해두자. 실제로 이 별명은 성녀 스스로 만들어낸 것이 아니다.

그녀는 무엇보다 치즈를 극도로 싫어했다. 그런데도 그녀는 억지로 치즈를 먹었다. 성녀의 식단에는 다양한 고행의 메뉴들이 들어있었다. 신체 부위별로 그 신체가 욕구하는 것을 부정하기, 자기 경멸의 기쁨, 혹독한 규율, 거친 천으로 만든 옷, 채찍질, 배변하지 않기 등등. 이런 고행들은 황홀경에 빠진 사람들의 광기와 별반 다르지 않았다. 그녀는 무엇보다 음식을 거부했다. 뭔가를 먹어야 할 때도 그녀는 어떡하든 적게 먹으려고 음식 축에도 못 드는 음식을 골랐다. 예컨대 그녀는 의사가 처방해준 쓰디쓴 술을 즐겼다. 맛이 고약하면 고약할수록, 삼키기 어려우면 어려울수록 그녀는 더욱 더 맛을 음미했다. 심지어 이질에 걸린 어느 신자를 자신의 혀로 돌본 적도 있었다. 자신의 혀가 이질에 닿을 때 그녀는 가슴이 뛰었다고 한다. 어떤 음식이 땅에 떨어져 나뒹굴면 그녀는 으레 더러워진 부분을 자기 몫으로 챙겼다.

잠깐이지만 사드 후작도 이 향연에 얼굴을 비췄다. 그런데 이 탕아[37] 역시 성녀와 마찬가지로 음식을 자기 경멸의 실현 방식으로 삼았다. 그에게 음식이란 욕구

37 le libertin; 절대자유주의자라는 의미도 포함.

와 쾌락의 확장을 의미한다. 사탕에 정력제를 잔뜩 발라 먹으며 바스티유 감옥에도 잘 적응했던 그는 유별한 미식가라 할 수 있다. 그는 그의 소설을 토대로 당시에 그려진 판화집 '범죄자 협회'에 수록할 글을 일종의 규약처럼 썼다. 이 규약의 16번째 조항은 이렇게 쓰여 졌다. "식탁에서는 뭐든지 과해도 좋다. …만족을 위해서라면… 모든 가능한 수단을 총동원한다." 색정광에게 음식이란 전적으로 성행위에 종속된다. 그래서 음식이란 것도 성행위에 쓰일 에너지를 비축하거나 성행위로 소비된 에너지를 보충하기 위한 수단이 된다. 결핍을 추구하는 신비주의자들과는 정반대로 이 탕자는 뭐든지 과도함을 부추긴다. 수많은 축제와 난교 파티, 그리고 요리가 한데 섞인다. 섹스에 입문하는 매 순간은 음식을 먹는 것으로 기념한다.

사드는 섭취와 배설의 논리로 소화를 이해한다. 그의 미식 논리에 의하면 똥은 마땅히 신성시해야 한다. 섭취라는 행위가 최종적으로 다다르는 것이 바로 똥이다. 즉 먹은 것은 똥으로 나온다는 얘기다. 황홀에 빠진 광신자들에게서 사라진 똥은 쾌락주의자들에게서 더 자주 나타난다. 『소돔 120일』에 나오는 똥의 지리학은 자못 의미심장하다. 극단은 서로 통한다는 진부한 말이 증명되듯 그노시스주의자의 경험들이나 성녀 마르게리트-마리의 종교적 경험들, 그리고 사드의 경험들을 비교해보면 정말 그렇다. 노엘 샤틀레Noëlle Chatelet가 정리한 그들의 기행을 훑어보면 이렇다. "페이지를 넘기다 보면 불쾌감이 점점 커져만 간다. 그들은 정말 상상하기 힘든 것들을 계속해서 먹는다. 콧물을 먹는 사람, 태아를 먹는 사람, 침, 고름, 정액, 방귀, 생리, 눈물, 트림, 남이 씹다 만 음식, 토한 것을 삼키는 사람까지 어느 것 하나 쉽게 넘어갈 만한 게 없다."

향연에 초대된 손님들 중에서 이런 오만 가지 것을 먹을 수 있는 사람이 있다면, 누굴까? 디오게네스라면, 아마도 그럴 수 있겠다. 분명 사드 후작에게서 디오게네스의 식습관을 다시 발견할 수 있지만 디오게네스처럼 반문화적이거나 문명에 적대적이라 할 만큼 자연적이진 않았다. 절대자유주의적 섭취를 위하여 먹는 것에 금기란 없다. 가능한 것들을 구태여 제한하거나 억제해서는 안 된다. 사드가 주인인 축제의 왕국에서는 그 무엇도 금지되지 않기에 배설물을 먹는다거나 살인, 또는 식인까지도 가능해진다. 뱀파이어와 흡혈 동물의 모든 욕구 충족도 여기서는 죄가 되지 않는다. 심지어 바싹 구운 작은 소녀를 먹는 것마저. 못 믿겠다면 노엘 샤틀레를 다시 소환해보자. "고환 파이, 인간의 피로 만든 부댕, 똥으로 만든 샤베트……."

'변태', 질겁한 여성 독자는 이렇게 썼다. 그렇다면 클로소브스키Klossowski, 레리Lély 또는 블랑쇼Blanchot를 다시 읽어보면 어떨지….

사실 사드는 실제보다 훨씬 과장해서 이야기를 지어냈다. 우리는 그가 지어낸 이야기에서 비롯한 정보들과 그의 전기가 제공하는 정보들을 정확히 구분해야 한다. 특히 그의 아내와 주고받은 편지 내용은 사드의 소설 세계와는 사뭇 다르다. 그의 관심이 향한 곳은 절대자유주의였다. 또 그렇다고 그가 무작정 먹고 마시는 것을 권한 것도 아니었다. 다만 일어날 일은 반드시 일어나게 되어있다는 걸 알았을 뿐이다. 사드는 식인을 권하지는 않았지만, 식인이 벌어진다면 그것은 단지 자연과 자연적 필연성을 드러내 보이는 것뿐이라고 확언했다. 그러니까 사드는 니체 이전에, 현실은 모두 결정론에 종속되어 있다는 논리로 세상을 읽어낸 셈이다. 단지 식인이라는 선천적 본성이 존재할 때, 자연적 필연성에 따라 그런 일이 실제로 벌어진다는 것을 확인시켜줬을 뿐이다.

『쥐스틴 또는 미덕의 불운』에서 사드는 이렇게 말한다.

> 그러므로 세상의 선입견에 비추어 경악할 만한 존재가 있다면, 그들에 대해 경악해서도, 그들을 훈계하거나 처벌해서도 안 된다. 대신 그들을 돕고 만족시켜야 하며, 그들을 불쾌하게 하는 모든 걸림돌들을 없애버려야 한다. 그리고 그들이 위험 없이 스스로를 만족시킬 수 있도록 모든 수단을 제공해야 하는 것이 옳다. 왜냐하면 정신적 존재 혹은 야수가 되는 것, 완벽한 몸을 갖추거나 꼽추가 되는 것은 당신에게 달린 문제가 아니기 때문이다."

아모르 파티, 네 운명을 사랑하라. 자연을 거스르는

일은 불가능하다….

작은 소녀를 굽는다는 둥, 얼린 똥을 조리한다는 둥 말도 안 되는 얘길 쓰긴 했지만, 사실 사드는 순수한 음식에 만족했다. 소설에 실린 음식들은 모두 허구이며 편지에 적힌 음식들이 진짜다. 환상 속에서라면 금단의 음식 따윈 존재하지 않는다. 아이를 삼켰을 거라고 오해받는 이 방탕한 후작도 실은 가금류, 잘게 다진 고기, 설탕조림, 머시멜로우, 단 과자류, 양념, 우유가 든 과자류, 잼, 머랭쿠키, 초콜릿 케이크를 좋아했다. 전형적인 어린 소녀의 식성을 지닌 그에게 푸줏간의 고기는 전혀 유혹적이지 않았다. 고급 샴페인과 송로버섯을 즐겼던 그는 부인에게 보내는 편지에서 자신이 실천했던 미식의 비밀을 이렇게 털어놓는다.

"스물네 마리의 작은 참새를 끓인 국물에 사프란 가루와 쌀을 넣어 만든 포타주, 잘게 썬 비둘기 고기와 아티초크에 채운 작은 공모양의 투르트, 바닐라 맛 크림, 프로방스 산 송로버섯, 고기 국물에 익힌 달걀, 송로버섯과 포도즙을 농축시킨 포도주로 속을 채운 제비 물떼새 가슴살 다진 고기, 샴페인, 용연향을 넣은 콤포트."

그의 소설 언어는 비록 끔찍하리만치 극단적이지만, 일상 언어는 다분히 미식적이다. 자 그럼, 우린 마르게리뜨-마리의 초대를 받는 것이 나을까, 사드 초대를 받는 것이 나을까? 식탁의 풍경만 놓고 보자면 전직 알라코크인 그녀가 사드 후작보다 훨씬 더 놀라운 인물이 될 것이다. 실제로 사드의 입술에는 그가 소설에 썼던 것처럼 아직 2차 성징이 나타나지 않은 여자 아이의 피가 묻지는 않았다. 그저 케이크에 덮여있던 카카오가 입술 끝에 살짝 묻어 있었을 뿐이다. 반대로 성녀의 뒤로는 후광이 비치고 있지만, 그녀의 입에 묻은 갈색 얼룩에 대해서라면 우리는 할 말을 잃고 만다….

말로만 식인귀였지 실제로는 지극히 소녀다웠던 후작은 잊고, 이제 구름 속 몽상가 샤를 푸리에를 만나보자. 그는 음식의 시학을 위한 변론을 펼친다. 과일을 열리게 하는 별들의 짝짓기, 미식 전쟁, 작은 파이의 변증법과 볼로방의 수사학…. 유토피아를 꿈꿨던 이

몽상가는 공장에서만큼이나 주방 안에서도 공상의 나래를 펼쳤다. 신화적인 '조화국'을 열망하며 현실을 전적으로 자기 관점에서 재배치하려는 그의 의지 속에는 당연히 음식도 들어있었다. 조화국에서 이 철학자는 바닥이 흙으로 덮여 있어 온실로 변형될 수 있는 아파트를 자신의 거처로 삼는다. 거기서 초록 식물에 둘러싸인 채 살았을 이 철학자는 새로운 질서를 꿈꾸며 정치사상과 정치경제학의 세부 사항을 제시하는 열의만큼이나 미식에 대한 주장을 발전시키고자 했다. 미식철학이란 사회의 중추적 역할을 담당하는 학문이다. 신체와 음식과의 관계를 변형시키려 했던 진심어린 관심, 그것이 푸리에의 자산이다. 그리고 죄책감에서 벗어나게 하는 것, 그것이 푸리에가 꿈꾸던 유토피아의 주요 목적이었다. 무엇보다 그가 염원했던 것은 유토피아에서 누리는 기쁨이었다. 조화국은 환희에 부여된 정치 형태였다.

푸리에의 코는 언제나 별을 향하고 있었기에 마치 일용직 노동자처럼 열심히 길을 내던 니체를 보진 못했을 것이다. 하루에 최대 열 시간 남짓, 그는 자신이 만들어 가는 그 길을 속속들이 잘 알고 있었다. 그렇지만 그의 시력이 너무 나빴던 탓에 순발력을 요하는 낯선 길은 찾아 가기가 힘들었다. 산길은 더더욱 위험했다.

니체와 음식의 관계는 세계 속 인간과 철학이 맺는 모든 관계를 말해준다. 그는 놀라운 작품을 생산했지만 작품 속에 드러나는 무수한 주장들은 모두 원한에 뿌리를 두고 있다. 삶의 동반자나 친구를 원했지만, 그 기대가 충족되지 못한 채 낙심한 그는 여성 혐오와 인간 혐오의 독설로 빠져 든다. 차라투스트라는 이렇게 말했다. 여성을 방문할 때는 채찍을 잊지 말라. 그런데 아이러니하게도 차라투스트라를 창조한 당사자는 그 당시 여성들에게 박사 학위 수여가 금지되었음에도 불구하고 한 여성이 박사 학위를 받을 수 있도록 자신의 권한을 행사했다. 마찬가지로 그는 다양한 생각들을 여러 여성들과 편지로 주고받았다. 말비다 폰 마이센부르그Malwida Von Meysenburg를 생각해 보라. 차라투스트라가 그토록 비방했던 우정이나 니체가 실제

경험한 우정이나 별반 차이는 없어 보인다. 그의 친구 가스트(Peter Gast, 니체가 Johann Heinrich Köselitz에게 지어준 가명—옮긴이)만 봐도 그렇다. 사실 가스트가 없었다면, 니체의 형편없는 시력 탓에 그 위대한 저작들도 세상에 나오기 어려웠을 것이다. 피터 가스트는 니체에게서 받은 원고들을 꼼꼼히 읽고 고쳐가며 최종 원고를 작성했다. 베니스에서도 가스트는 그가 필요로 할 때마다 열 일 제치고 도우러 왔다. 이런 게 우정이 아니면 뭐란 말인가? 니체는 가스트와의 인연으로 특권을 누렸음에도 불구하고 그의 우정을 감옥처럼 느꼈다. 다른 예가 필요한가? 기대하던 것을 이루지 못하게 되자 헛된 기대는 원한을 낳았고 그 원한이 미래 세대와 다가올 세기를 위해 글을 쓰라고 그를 부추겼다. 음식과의 관계에서도 마찬가지다. 니체는 게르만의 무거움을 거부했고, 식사 이외의 간식거리도 사양했다. 그는 일찍이 피에몬테 지방의 가벼운 요리에 환상을 품고 있었지만 말 그대로 환상일 뿐, 막상 식습관을 실천하는 데는 그다지 일관된 모습을 보이지 못했다. 춤을 추듯 가벼운 발걸음으로 살고 싶어 했던 니체였으나 양념된 고기와 파스타를 몹시도 좋아했고 어머니가 보내준 말린 돼지고기 먹는 재미에 빠져 지냈다.

마리네티Marinetti는 자신의 이상을 더욱 더 멀리 밀어붙인다. 미래주의 이론에는 실천이 뒤따랐고, 마리네티 스타일의 파티는 실제로 열렸다. 바로크 스타일로 연출된 키치적 예술품들, 이들은 회고주의라는 찌꺼기를 벗어버리고 순수하게 정화된 순간부터 현실을 그들의 뜻대로 만들려는 강력한 의지를 천명했다. 미래주의자의 미식은 요리 혁명의 장으로 우리를 초대하나 만사가 그렇듯 여기서도 장르의 법칙에 따라 혁명은 반동으로 변한다. 역사를 지배하는 법칙이 여전히 음식의 서사를 지배하고 있었다. 음식의 역사, 그것은 더할 나위 없는 역사 그 자체인 것이다. 미식 감수성이나 식습관의 결정도 마찬가지로 감수성과 습관의 결정과 다름없다

사르트르, 이제 음식은 육체의 영원한 적이었던 이 철학자를 겨냥한다. 그는 리츠 호텔에 머물던 헤밍웨

이나 타슈켄트에 사는 어느 러시아 엔지니어와 알코올중독을 놓고 경쟁할 정도의 인물이었다. 물론 이 경쟁의 종지부를 찍은 것도 사르트르였다. 르아브르에서 뉴욕으로 가는 배에 올랐을 때 그는 구명보트 안에서 와인을 발효시켰던 것이다. 일본에서 옥돔 회나 핏빛의 참치를 먹을 때는 토하면서 식사를 마쳤다. 브뤼에-앙-아르토아Bruay-en-Artois의 어느 마오주의 광부의 집에서는 토끼 고기로 만든 스튜를 먹다가 두 시간 동안 호흡곤란을 일으킨 적도 있다. 모로코에서는 뿔 모양의 꿀 과자, 비둘기 고기인 파스티야, 양고기, 레몬을 넣은 닭고기에 쿠스쿠스를 먹고는 간에 심각한 문제가 생겨 고통을 겪었다. 심지어 암페타민 한 통을 삼키는 바람에 몇 시간 동안 난청에 시달리기도 했다. 그를 구원의 침묵 속에 남겨두고 우리는 스스로 귀머거리가 된 철학자들을 경계하자….

무無와 영원을 위한 음식, 끝없이 소화하고 소화되는 무상한 순환이 곧 인간의 운명이다. 소화의 메타포로서 죽음은 구순기에 대한 수많은 설명 가운데 하나

일 뿐이다. 정신분석학자들은 미식에 꽂힌 사람들에 대해 할 말이 많을 것이다. 미식은 구강의 쾌락을 추구하는 단계에 머물러 있는 것을 의미할 수 있다. 또 젖을 뗀 이후 문화적, 사회적으로 받아들일 수 있는 젖꼭지의 대체물일 수도 있다. 아니면 삶의 덧없음으로 요리로 승화시킨 것 이라든지. 정신과 의사들은 식욕부진과 허기증을 분석하며 세계를 불완전하게 이해하는 하나의 강박적 결함의 두 측면을 발견한다. 그들은 정상적인 것과 병리적인 것, 입의 일탈, 그것의 좋은 활용과 나쁜 활용을 단호하게 구분 짓는다. 경제학자들은 역사학자들과 더불어 향신료의 시적인 지리학, 설탕과 캐비아의 여정, 소금의 대서사에 대해 이야기할 것이다. 이 과정에서 그들은 괄약근의 조절과 화폐, 소비와 공급에 관한 어떤 이론을 이끌어 낼 것이다.

이 신화적인 우여곡절들.

참, 루이스 캐롤Lewis Carroll과 루키아노스Lucien de Samosate가 빠졌다. 부르디외Bourdieu와 더불어 사회학자들은 무겁고, 짜고, 기름진 것을 좋아하는 서민들의 취향과 부르주아의 선택에 대해서 이야기할 것이다.

미식가들은 향, 색감, 맛, 풍미 그리고 식감과 부드러운 특징들을 말할 것이고 신학자들은 이것을 7대 죄악 가운데 하나로 거론할 것이다.

반면 철학자는 신성한 것을 제거하고, 쾌락을 포기하려는 금욕적 의지를 버리라고 한다. 디오니소스적 지혜는 기독교주의에 의해 수백 년 동안 찬사를 받아왔던 불감증이 얼마나 부당한지를 밝히고 있다. 무신론적 지식은 일종의 미적 지혜인 것이다. 행위, 그리고 기쁨의 혼돈이 행복을 추구하는 음식학의 세계로 이끌고 있다. 부패와 분해가 예정된 육신은 죽음 이전에만 자신의 운명을 갖는다. 결국 피할 수 없는 죽음을 향해 가는 우리의 몸. 이 몸을 적절히 활용하지 못한다는 것은 그 자체로 처벌을 받고 있는 잘못인 것이다. 잃어버린 시간은 다시 붙잡을 수 없기에….

저자 후기

식생활 연대기

미셸 옹프레

먹는다는 것, 그것은 누군가의 몸, 삶의 방식, 혹은 그 사람의 세계를 드러내 보여준다. 만일 어떤 아이에게 가난이 무엇이고, 또 내 부모의 형편이 어떠했는지 설명해야 할 때 나에게 가난을 의미하는 것은 계란이나 감자다. 또는 고기가 없다든가.

농부인 아버지의 식탁에 생선이란 일종의 사치였다. 생선은커녕 최소한의 '기름진 식사'라는 개념조차 아예 없었다. 이 촌부는 거칠고 간편한 재료만을 사용했다. 귀한 재료나 섬세한 맛을 내는 식재료 따위가 없다는 것은 당연한 일로 여긴다. 매끼 식탁을 지배하는 건 전분류의 음식이다. 식탁 위에는 생짜배기 사과주가 빠지지 않고 오르는데 너무 쓰고 시큼해서 차라리 식초를 퍼마시는 게 나을 정도다. 그 사과주는 지하창고의 술통 안에서 떡갈나무나 밤나무의 찐득한 향마저 집어삼킬 만큼 오래 담겨 있었다. 술통에서 똑똑 떨어진 술방울들은 바닥에 그물 무늬를 새기며 지하창고를 온통 어둡고 습한 냄새로 채워버렸다. 이따금, 사과의 오랜 발효 에너지에 밀려 막아두었던 코르크 마개가 어슴푸레한 빛 속으로 튕겨 나오기도 했다. 코를 찌르는 향기는 한때 그 술의 과거를 품고 있던 땅으로 다시 스며든다.

사과가 너무 영글어 나뭇가지가 잔뜩 구부러지거나 부러질 때도 있었다. 새벽녘 우리는 연초록 풀밭 위에서 이슬 젖은 사과를 심심찮게 발견하곤 했다. 그 사과들 대부분은 타르트 따땡tarte tatin, 콩포트compote, 부르뎅bourdin에 들어갈 운명이었다. 여기에 들어갈 계피는 당연히 없었다. 도시에서는 향신료가 음식의 풍미를 더해주는 장식물이라면 우리에게 허용된 것은 고작 카펫처럼 깔린 과일 퓌레 위에 사과 조각을 얹어 둥근 고딕 문양을 낸 사과 파이가 전부였고, 그것으로 충분했다. 참, 크림이 있었다. 크림은 모든 요리에 무조건 들어갔다. 어쩌다 올라오는 토끼요리나 대구요리, 심지어 과일 위에도 어김없이 크림이 얹혀있었다.

어른들이 나를 제멋대로 중학교 기숙사에 넣어버리면서 그나마 누려왔던 자연의 공짜 선물들과도 결별해야만 했다. 과일들이 탐스럽게 익어갈 즈음 학기가 시작되는 바람에 나는 어느 것 하나 맛볼 수가 없었다. 공원의 사과나무에서 몰래 딴 사과를 우걱우걱 씹는 그 맛도 더는 누릴 수 없었고, 개암이며 산딸기, 밤, 버찌도 모두 잊어야 했다. 움푹 파인 도랑과 덤불숲은 기억 저편으로 멀어져갔고, 여름 햇빛 아래 잘 자란 허브의 맛도 아득해졌다. 강가에서 피라미와 잉어를 잡아 통째로 튀겨 먹던 일은 어느새 추억이 되어버렸다. 담배 하나 얻어 피우겠다고 맨땅의 지렁이를 꿀꺽 삼키거나 싸구려 사탕 한 줌에 눈이 멀어 파리를 입에 넣어버리던 또래 녀석들도 이젠 볼 수 없었다.

기숙사 생활은 내게 순수한 의미의 음식이란 없다는 것을 깨닫게 해주었다. 자유의 맛이 끔찍이도 그리웠다. 나의 부엌은 이제 퀴퀴한 구내식당이 대신했고, 집단생활의 실험실 같은 기숙사의 끈끈한 악취가 집 냄새를 대신했다. 나는 물러터진 젤리와 소독약 같은 물, 제빵 학원 견습생들이 까맣게 태워버린 빵을 알게 되었다. 고기랍시고 내놓은 지방 덩어리와 딱딱해진 소스가 접시 위에 처참하게 엉겨 붙어 있었다. 가끔 이게 떨어질까 안 떨어질까 하며 접시를 뒤집어보는 아이들도 있었다. 토마토와 당면이 들어간 수프는 마치 신선한 피를 담아놓은 것 같았다. 나는 끼니때마다 그 시뻘건 수프와 핏기가 그대로인 요리, 아니면 차갑고 물컹해진 완두콩 퓌레나 질긴 염통 고기를 목구멍으로 우걱우걱 밀어 넣어야 했다. 간식시간인 오후 4시쯤이면 거무튀튀한 플라스틱 빵 그릇 바닥에 딱딱하게 굳은 빵 부스러기들만 남아있을 뿐이었다. 초코바가 유일한 호사였는데 그마저도 사포보다 더 까끌까끌했다. 종교단체가 운영하는 중학교의 이점은 미사였다. 아침 미사를 위해 성가대 아이들은 7시 반에 일어나 양치질을 하고 라테를 마실 수 있었는데, 그 틈을 타서 미사에 쓰일 백포도주를 한 잔 가득 채워 마시거나 한 움큼의 면병을 맛볼 수도 있었다. 우리는 그 면병이 부디 축성되지 않은 것이길 빌곤 했다. 지옥에 떨어지고 싶진 않았으니까. 이따금 나는 모자 안에 면병을 한 주먹 숨겨와 라떼가 담긴 머그컵에 적셔 먹곤 했다. 예수의 몸을 상징하는 동그란 빵 조각이 미지근한 액체에 녹아들며 서서히 가라앉는 모습은 나의 상상력을 자극했다. 스스로 침잠한 세계의 침몰이랄까, 아니면 잘못된 계시로 빵의 형태를 부여받은 그리스도의 익사라고나 할까. 일요일 오후의 외출은 그나마 숨통이 트이는 시간이었다. 물론 이열종대로 걸어야 했지만 그래도 그 순간만큼은 야생 열매나 과일을 따먹으며 시골이 지닌 자유의 맛을 잠시 만끽하곤 했다.

나는 이웃 마을의 고등학교에 진학하면서 비로소 어린 소년들과 총각 사제들의 냄새가 뒤섞인 그 지긋지긋한 곳에서 벗어나 조금 덜 엄격한 기숙사로 옮겼다. 군청이 어디에 있는지 알게 되었고, 아주 기괴한

향이 첨가된 우유가 있다는 것도 알게 되었다. 햄-버터 샌드위치라는 음식을 만난 것도 그 무렵이었다. 그 이후로 햄-버터 샌드위치는 내가 가장 빨리 만들 수 있는 음식의 상징으로 남게 되었다. 책 살 돈을 아껴 내 생애 첫 크레페를 맛보기도 했고, 시내 유일의 고급 디저트 카페에서 내 인생의 첫 여자 친구들에게 초콜릿이며 쿠키 따위를 사주기도 했다. 나는 그 우정 어린 다과회와 내 정신적 식량 사이에서 선택을 해야만 했었는데, 그날 카페에서 받은 계산서는 보름간의 생계를 위협할 만큼 거액이었다. 단 것으로 가득한 진열대 앞에서 여자 친구를 기다리며 크누트 함순의 『굶주림』을 읽고 있는 내 모습은 아이러니에 가까웠다.

한창 나이 때는 맛과 영양이 아닌 양으로 음식을 따진다. 먹다 남은 빵이면 어떻고, 과자 부스러기로 만든 푸딩이라면 또 어떤가, 배만 부르면 됐지. 나는 젤리 같은 시럽에 꽉꽉 눌려 본래의 과일 맛을 잃어버린 정체불명의 푸딩이나 브르타뉴 식 크레페에 싸구려 초콜릿을 넣어 배를 채웠다. 음식의 평가 기준이란 뭐니 뭐니 해도 양이었다.

한밤중에 기숙사를 몰래 빠져나와 아직 열려 있는 카페를 찾아 밤거리를 싸돌아다니던 일도 있었다. 난생 처음 느껴보는 알코올의 쓴 맛에 우리는 연신 콜록거리며 차가운 겨울 밤거리를 비틀거리며 돌아다녔다. 쿠앵트로(오렌지 껍질로 만들 술—옮긴이)가 내 취향이라는 것도 그때 알았다. 하필 내 친구 어머니가 술집을 운영해서 우리는 거침없이 자주 거기를 드나들었다.

그럭저럭 나는 대학생이 되었고, 바야흐로 '닥치고 취하는' 시기가 도래했다. 나와 함께 일주일에 두 시간씩 지루하고 침울하게 인식론 강의를 듣던 철학과 친구와 벌인 꼬냑 소동이 기억난다. 크리스마스 방학이 한 창일 때 친구와 나는 시내 어딘가에서 몰래 훔쳐온 코냑을 양치컵에 한 잔 가득 붓고 대여섯 개의 각설탕을 넣은 다음 연거푸 마신 적이 있었다. 그때 우리의 술판은 짐짓 정치적이었다. 왜냐하면 이 절도 행위란 소비사회의 토대를 뒤흔드는 일이었기에… 술이 비어 갈수록 식도가 타들어가는 느낌과 함께 아주 긴 시간 동안 무의식 상태에 빠져들었고, 우리는 일종의 알코올성 코마 상태를 경험했다. 대학시절엔 학생식당 음식들이 일상을 이뤘고, 메뉴는 여전히 우리를 비참하게 만들었다. 정어리, 카술레(돼지고기나 양고기, 흰콩을 넣어 끓인 스튜—옮긴이), 바나나……. 하지만 얼마 안 있어 좀 덜 유치하고, 좀 더 교양적인 향연의 기회가 찾아왔다. 드디어 와인 맛을 알게 된 것이다. 나는 부르고뉴 산 와인과 알자스 지방의 와인에 흠뻑 빠져들었다. 부르고뉴 산 와인은 특유의 흙냄새와 가죽 냄새가 매력이었고, 알자스 와인은 산뜻한 과일향이 일품이었다. 훔친 술에 취하거나 맛보다는 양으로 음식을 대하던 내가 이제 몇 년산 와인이고 적정온도가 몇 도인지, 또 어떤 음식과 궁합이 맞는지를 따지기 시작했다. 심지어 기념할 만한 날의 소중한 추억을 위해 특별히 와인을 아껴두기까지 했다. 이를테면 논문 심사에서 최고의 평가를 받던 날, 나는 꼭꼭 숨겨둔 알렉스-코통 산 빈티지 와인으로 자축연을 벌였다. 시간이 흐르면서 나는 차츰차츰 자리를 잡아갔다. 방랑 시절은 끝났고, 대학 기숙사 방 한쪽 벽은 책과 CD들로 채워졌다. 양철 식판에 담긴 카술레나 슈크루트 대신에 이제는 손

수 정성을 들여 요리를 만들어 먹기 시작했다. 이후 십여 년 동안 나는 그날그날의 음식을 직접 만들어가며 얌전한 나날을 보냈다.

내게 책과 음식 간의 연결고리를 가르쳐준 한 친구를 잊을 수 없다. 서점 직원인 그는 지나치게 섬세하고 수줍은 성격 탓에 자신의 과거를 숨겼다. 한때 파리에서 요리사로 일했다는 것, 그리고 아주 훌륭한 취향을 지닌 탐미주의자라는 게 내가 아는 전부였다. 그는 빈털터리인 내게 우정의 표시로 초콜릿 쿠키와 최고급 와인, 혹은 귀한 책들을 선물하곤 했다. 나의 애장품인 리바롤[38]Antoine de Rivarol이나 모라스[39]Charles Maurras의 근사한 판본에는 여전히 그의 손때가 묻어있다. 무엇보다 그는 내게 결코 잊어서는 안 될 소스들과 불을 섬세하게 다루는 법, 그리고 요리에 관한 다양한 팁들을 알려주었다.

38 Antoine de Rivarol(1753~1801); 프랑스 대혁명기의 왕당파 작가, 번역가.

39 Charles Maurras(1868~1952); 프랑스 작가, 정치인, 시인, 비평가, 군주제, 반유대주의, 반의회주의 정치운동 조직인 Action française의 설립자이자 이론가.

세월이 흘러 나는 철학 교사가 되었지만, 그는 몹쓸 병에 걸려 너무도, 너무도 일찍 세상을 떠나버렸다. 하지만 그는 여전히 이런 저런 지식과 놀라운 미각 능력을 지녔던 친구로 내 마음에 남아 있다.

그는 늘 멋진 책과 아름다운 그림들-알프레드 뒤러[40], 렘브란트-옆에 최상의 요리와 훌륭한 와인을 차려놓곤 했다. 식탁 위에서는 언제나 근사한 대화들이 오갔다. 그는 가히 그리모[41]가 인정할 만한 호스트였다. 그런 그가 이제 내 곁에 없다는 사실이 너무도 고통스럽다. 나는 종종 요리를 하던 중에 그의 웃음과 다정한 조언, 그리고 그가 만든 기막힌 소스와 초콜릿을 떠올리곤 했다. 살아있는 나는 여전히 요리를 해야 했기에 끼니때마다 그가 가르쳐준 비법과 요령들을 그리워했다. 지금도 제비꽃이 필 때쯤이면 나는 약속처럼 그의 묘소를 찾는다.

40 Albrecht DURER(1471~1528); 독일 화가

41 Grimod de La Reynière; 『식사 주최자 개론서Manuel des amphitryons, 1808』의 저자. 그는 좋은 식사를 위해 재치와 센스, 풍성하고 넉넉함, 원활한 구성과 진행, 훌륭한 요리사 그리고 특히 '진정한 식탐의 표현'이 필요하다고 썼다.

몇 번의 해외여행을 통해 낯선 곳의 땅과 하늘, 낯선 이들의 언어와 풍습을 온몸에 받아들이며 나는 상상도 못했던 맛과 향을 느낄 수 있었다. 코카서스 산맥에서, 옛 소비에트 공화국의 조지아에서, 그리스의 곳간이나 호메로스 이야기의 제의에나 나올 법한 듣도 보도 못한 음식들과 마주쳤다. 거대한 항아리 안에는 닭과 비둘기와 양들이 채소들과 뒤엉킨 채 탁한 거품을 내며 끓고 있었고, 현지 주민들은 지나가는 행인들에게 핏빛 고기를 나눠주었다. 이 고기에는 잔치가 끝난 뒤 소망이 실현되기를 기원하는 의미가 담겨있었다. 허드레 고기를 삶는 냄비 안으로 채소들이 던져졌고, 뛰노는 아이들의 이마에는 동물의 피로 그은 십자가 모양이 찍혀 있었다. 아제르바이잔의 변두리 시장에는 파란 사과와 돌처럼 단단한 배들이 잔뜩 쌓여 있었다. 거기서 나는 개암열매와 호두를 가느다란 끈으로 꿰어 설탕과 포도 주스에 여러 번 적셔 햇볕에 말린 열매 목걸이도 맛보았다.

아르메니아의 세반 호숫가에서는 익칸Ichkan이란 요리를 만났다. 익칸은 이곳에서만 서식하는 일종의 곤들메기인데, 이 지역 특유의 요리법에 따라 빵가루에 입혀 튀겨진 탓에 본래의 맛이 뜨거운 기름에 묻혀버렸다. 이걸 왜 튀겼을까? 혹시 더 귀한 쾌락을 이쯤에서 금지하기 위해서였을까? 희귀한 물고기가 품고 있는 독특한 맛은 튀김옷을 뚫고 새어나오지 못한 채 결국 미스터리로 남았다. 숨겨진 섬세한 맛이 드러나기 위해서는 막 살을 갈랐을 때 나는 향긋한 김이 필요했는지도 모른다.

강철과 납으로 둘러싸인 엄숙한 공업도시 레닌그라드의 캐비아는 형언할 수 없는 맛을 지녔다. 호박琥珀과 유사한 이 회색 진주에는 온갖 심해의 맛이 섞여있다.

키에르케고르의 자취를 따라 코펜하겐의 거리와 골목을 걷기도 했다. 소금에 절인 생선과 훈제 요리에서는 발트 해의 색깔이 묻어났다. 그런데 조미료의 신맛이 생선의 풍미를 헤치고 있었다. 바르셀로나에서 마셨던 보리 음료 오르차타Horchata는 마치 추위 속에서 곡식들이 자라고 있는 밭을 통째로 삼키는 듯한 맛이었다. 로마의 나보나 광장Piazza Navon에는 아주 놀라운 아이스크림 가게들이 모여 있었다. 트레 스칼리니[42], 지올리티[43], 피오코 디 네베[44], 이 가게들은 판테온 부근이나 비카리오 거리에 있었다. 루크레티우스나 마르쿠스

아우렐리우스에게 영감과 열정을 내려준 바로 그 태양의 그늘 아래에서 나는 아주 다양한 맛의 아이스크림을 맛볼 수 있었다. 제비꽃 맛, 버섯 맛, 당근 맛, 장미 맛…….

볼테르와 루소의 흔적을 따라간 제네바에서는 보두와산 와인과 발레 지역의 팡당(백포도주를 만드는 포도 품종의 일종—옮긴이)을 마셨고, 베니스에서는 대운하를 바라보며 시장의 과일들을 깨물어 먹었다. 마을 전체를 하나의 예술작품으로 빚어낸 이곳의 물과 하늘이 고스란히 과일 안에 들어있는 듯했다. 프랑스 곳곳에서도 나는 눈앞에 펼쳐지는 풍경과 공간의 영혼들을 대하는 심정으로 그곳의 특산물을 만났다. 그 모든 장소는 여행자를 그냥 보내주지 않는다. 가령 콩피(confit, 고

42 Tre scalini; 소피아 로렌이 가장 좋아했다는 디저트 아이스크림 타르투포가 유명한 식당

43 Giolitti; 비카리오 거리에 있는 로마에서 가장 오래된 아이스크림 가게

44 Fiocco Di Neve; 로마에서 가장 대중적으로 알려진 아이스크림 가게

기 등을 기름에 절여 오랫동안 끓여내는 요리 —옮긴이)와 싸를라 Sarlat-la-Canéda 산 감자, 그리고 호두 파이를 맛보지 않고서는 페리고르Périgord 지방을 지나갈 수 없다. 캉칼Cancale의 부둣가에서 파는 굴을 먹지 않고는 브르타뉴 지방을 지나갈 수 없고, 삶은 감자에 그 지역에서 생산한 치즈를 구워 버무린 것을 먹어보지 않고는 보쥬Vorges를 지나갈 수가 없으며, 구운 생선을 곁들여 라따뚜이를 먹지 않고는 프로방스를 지나갈 수 없으며, 사냥꾼의 부인이 요리해주는 멧돼지 스튜ragôut를 즐기지 않고는 피레네 지방을 지날 수 없고…….

어떤 나라를 보는 것만으로는 충분치 않다. 그 나라를 듣고 맛보고, 피부의 모든 땀구멍에 스며들게 해야 한다. 우리의 몸은 진정한 앎에 다가갈 수 있는 유일한 통로가 아니던가. 긴 여행을 통틀어 지루하지 않은 곳으로 기억되는 장소에는 어김없이 '미식'이 존재한다는 것을 그리모는 너무도 선명하게 보여주었다.

다정한 벗들과 테이블에 둘러앉는 순간 실존의 권태는 사라진다. 나에게도 그런 벗들이 있다. 식도락이야말로 삶의 양식이라고 외치는 그들 중에는 비둘기를 굽는 몽상가적인 친구도 있다. 이 특이한 친구는 화덕과 조리대에 지구상 모든 대륙의 재료들을 들여와 적응시키려 든다. 덕분에 우리는 중국식 퐁듀나 일본의 스시들을 심심찮게 맛보곤 한다. 파리지앵으로 살다가 시골로 내려간 한 친구는 소스를 곁들인 고기 전문가가 되었는데, 주특기는 당근과 소고기를 넣은 나바린Navarin이다. 반대로 요리 재료를 보관하는 것에서부터 헤매는 고집불통 친구도 있다. 그는 가장 간단한 조리법조차 잊어버리려고 애쓰는 것 같다. 그런가 하면 요리를 무슨 참선을 위한 정원이나 소비에트 식 건축물처럼 접시 위에 올려놓는 친구도 있다. 또 어떤 친구는 뱅 드 빠이(le vin de paille, 밀짚 위에서 말린 포도로 만든 백포도주—옮긴이)라면 사족을 못 쓰고, 어떤 친구는 부르고뉴 지방 근교에서 나는 막 짜낸 포도주만 찾아다닌다. 식사의 처음부터 끝까지 시드르나 배 즙으로 담근 술을 곁들이는 친구도 있고, 어느 좌파정당의 지방의회 의원인 또 다른 친구는 소비에트 연합의 여러 나라들에서 구한 형편없는 와인에 헝가리 산 푸아그라를 곁들여 마신다.

먹는다는 것, 그것은 참으로 감추기 힘든 개성의 표현이다. 전자레인지에서 익어가는 콩피나 버너의 강한 불에 구워지는 동결 건조 생선은 또 얼마나 많았는지.

그런데 이 황홀한 미식의 세계에 경고를 보내려는 듯 1987년이 끝나가던 어느 날, 불현듯 '혹시 심근경색 아닐까?'라고 의심할 만한 심장발작을 겪었다. 이런 의심이 전혀 근거 없는 것은 아니었다. 왜냐하면 내가 벌인 이 소동이 바로 심장 혈관의 착란 때문에 생긴 일이었기 때문이다. 사실 모두가 놀랐고, 더러는 황당하다고 했다. 스물여덟 살에 심근경색이라니, 통계적으로도 얼토당토않은 일이지 않은가.

두 차례 심전도 검사를 받는 동안 나는 칼시파린 주사를 한 대 맞고 피도 뽑았다. 곧이어 식욕부진을 겪고 있는 얼굴의 어떤 식이요법 전문가와의 운명적인 만남이 시작되었다. 상냥한 구석이라곤 찾아볼 수 없는 아주 엄하고 깡마른 여자였는데, 어찌 보면 그녀의 직업의식이 외면화된 결과일 수도 있었다. 그녀가 내게 사막의 수도자들이 먹는 음식의 효능에 대해 지루한 강의를 이어나가는 동안 나는 심장 사고가 나기 전 마지막으로 먹었던 음식을 떠올렸다. 발작이 있기 전날 저녁 7시에서 8시 사이에 나는 양고기 어깨 부위에 느타리와 샐러리를 넣어 요리했는데, 결국 그게 최후의 만찬이 된 셈이다. 이제 그 모든 것들을 뒤로한 채 나는 저칼로리, 저혈당, 저콜레스테롤 식단의 포로가 되어야 한다. 내가 갖고 있는 요리책들을 의학 사전이나 의약품 사전과 교환해야 할지도 모른다. 창백하고 허약한 저칼로리 공무원은 내게 저지방 크림이며 탈지분유, 찜 요리의 이로움에 대한 강의를 이어갔다. 윤기가 흐르고 걸쭉한 소스의 시대는 이제 끝났다. 이제 나는 나의 육신을 녹색 식물로 바꿔야만 했다. 그녀의 이런 열정적인 노력에 질리다 못해 나는 마치 유언처럼 이렇게 외쳤다. "나는 마가린으로 내 존재를 연장하느니 차라리 버터를 퍼먹으며 죽기를 원합니다!" 타인의 심리는 잘 꿰뚫어볼지언정 논리에 약했던 그녀는 모든 기본적 논리를 경멸하며 되받아쳤다. "이봐요, 버터와 마가린? 그건 같은 거라고!" 어떻게 버터와 마가린

이 같은 것일까, 하나는 동물성이고 다른 하나는 식물성인데… 그녀가 논리학보다는 무기질에 대해 더 잘 알고(!) 있는 이상, 나는 침대에 누운 채 이렇게 말했다. "나는 어쨌든 버터를 선호해요, 왜냐하면 그것은 (당신 말대로) '같은 것'이니까."

아, 이런! 상황은 점점 더 악화되고 있었다. 내 체중은 예전보다 7킬로그램이나 줄어있었지만 그녀는 여전히 내게 비만, 콜레스테롤, 그리고 조기 사망을 선고한 후 자신의 식이요법을 위한 (가짜) 음식과 (가짜) 소스, (가짜) 조리법들을 모조리 다시 회수하고는 병실을 나가버렸다. 나만 혼자 덜렁 남겨놓고.

병원과 재활 센터의 식이요법 이후 얼마 지나지 않아 나는 다시 보통의 삶으로 돌아왔다. 그러니까 보통의 식사로 돌아왔다는 얘기다. 나는 그 심술궂은 식이요법 여인을 떠올리며 보란 듯이 나만의 방식으로 음식을 만들어 먹기로 했다. 하지만 이내 음식에 대한 즐거운 지식으로서의 정신에 좋은 레시피가 너무 없다는 것을 깨닫게 되었다. 그 엄한 '음식 검열관'에게는 무엇보다 쾌락주의의 가르침이 필요할지도 모른다. 이렇게 해서 이 책이 세상에 나오게 되었다. 물론 이 책을 그녀에게 헌정하는 일은 없겠지만….

철학자의 뱃속

1판 1쇄 발행 2020년 12월 11일

지은이 | 미셸 옹프레
옮긴이 | 이아름
펴낸이 | 박두열 김영신
Thanks to Prof. Antoine Coppolar | 정홍 작가 | 최성경 북디자이너

펴낸곳 | 불란서책방
출판등록 | 2019년 1월 17일 제2019-000015호
주소 | 경기도 김포시 대곶면 수남로 22번길
전화 | 031 986 0906
팩스 | 070 7614 1686
이메일 | bookfest@naver.com

ISBN 979-11-971456-0-5 03100